#하루에_조금씩
#쑥쑥_크는
#어휘력 #사고력

# 똑똑한
# 하루 어휘

Chunjae
Makes
Chunjae

▼

# [ 똑똑한 하루 어휘 한글 익히기 ] 예비초 B


**편집개발** 김한나, 원명희, 박윤진, 엄은경
**디자인총괄** 김희정
**표지디자인** 윤순미, 안채리
**내지디자인** 박희춘, 이혜미
**일러스트** 김수정, 이은영
**제작** 황성진, 조규영

**발행일** 2021년 12월 15일 초판 2021년 12월 15일 1쇄
**발행인** (주)천재교육
**주소** 서울시 금천구 가산로9길 54
**신고번호** 제2001-000018호
**고객센터** 1577-0902



※ 정답 분실 시에는 천재교육 교재 홈페이지에서 내려받으세요.
※ KC 마크는 이 제품이 공통안전기준에 적합하였음을 의미합니다.
※ 주의
책 모서리에 다칠 수 있으니 주의하시기 바랍니다.
부주의로 인한 사고의 경우 책임지지 않습니다.
8세 미만의 어린이는 부모님의 관리가 필요합니다.

똑똑한 하루 어휘
-한글 익히기-

# 예비초 B 스케줄표

## 1주

| 1일 8~15쪽 | 2일 16~19쪽 | 3일 20~23쪽 | 4일 24~27쪽 | 5일 28~31쪽 | 1주 마무리 32~39쪽 |
|---|---|---|---|---|---|
| ㄱ, ㅋ, ㄲ + 모음자 | ㄴ + 모음자 | ㄷ, ㅌ, ㄸ + 모음자 | ㄹ + 모음자 | ㅁ + 모음자 | |
| 가지, 코스모스<br>까치, 마스크<br>코트, 깨 | 누나, 노크<br>네모, 나이<br>나무, 노루 | 두루미, 타다<br>따라가다, 다리미<br>기타, 메뚜기 | 마루, 레이스<br>리코더, 소라<br>개나리, 가루 | 모래, 마시다<br>무지개, 미소<br>미나리, 매미 | • 누구나 100점 TEST<br>• 1주 특강 |

공부했으면 붙임 딱지를 붙여 주세요.
「정답과 풀이」에 있어요!

계획대로만 하면 금방 끝날 거야.

## 2주

| 1일 40~47쪽 | 2일 48~51쪽 | 3일 52~55쪽 | 4일 56~59쪽 | 5일 60~63쪽 | 2주 마무리 64~71쪽 |
|---|---|---|---|---|---|
| ㅂ, ㅍ, ㅃ + 모음자 | ㅅ, ㅆ + 모음자 | ㅇ + 모음자 | ㅈ, ㅊ, ㅉ + 모음자 | ㅎ + 모음자 | |
| 바나나, 비누<br>파, 포크<br>뿌리다, 빠르다 | 시소, 수도<br>세수, 시계<br>쏘다, 쓰다 | 아파트, 유아차<br>오토바이, 어깨<br>우주, 의자 | 제비, 자두<br>차다, 치즈<br>짜다, 쪼다 | 해, 호수<br>허수아비, 호두<br>해바라기, 하나 | • 누구나 100점 TEST<br>• 2주 특강 |

틀린 문제는 다시 한 번 살펴볼까?

## 3주

| 1일 72~79쪽 | 2일 80~83쪽 | 3일 84~87쪽 | 4일 88~91쪽 | 5일 92~95쪽 | 3주 마무리 96~103쪽 |
|---|---|---|---|---|---|
| 받침 ㄱ, ㄴ | 받침 ㄷ, ㄹ, ㅁ | 받침 ㅂ, ㅅ, ㅇ | 받침 ㅈ, ㅊ, ㅋ | 받침 ㅌ, ㅍ, ㅎ | |
| 책, 가족<br>축구, 사진<br>편지, 기린 | 돋보기, 숟가락<br>놀이터, 딸기<br>구름, 그림 | 서랍, 지갑<br>옷, 로봇<br>가방, 강아지 | 젖병, 젖소<br>꽃, 곶감<br>부엌, 들녘 | 팥빙수, 밥솥<br>무릎, 숲<br>노랗다, 하얗다 | • 누구나 100점 TEST<br>• 3주 특강 |

## 권 마무리

| 104~105쪽 | 106~109쪽 | 110~113쪽 | 114~117쪽 |
|---|---|---|---|
| 배운 내용 정리 | 재미있는 한글 퀴즈 | 기초 종합 정리 ❶ | 기초 종합 정리 ❷ |

공부했으면 빈칸에 체크✓해 줘!

# 똑 똑 한
# 하루 어휘
## 한글 익히기

## 어떤 책인가요?

**한글 기초 능력**
한글 기초 능력을 키우는 교재
- 자음자, 모음자 익히기
- 받침 익히기

**글자의 원리**
한글의 짜임을 이해하는 교재
- 낱자의 조합을 자연스럽게 이해
- 붙임 딱지로 글자의 짜임 이해

**어휘와 한글**
한글과 어휘력을 함께 다지는 교재
- 어휘를 통해 한글 익히기
- 낱말 그림으로 어휘의 폭 넓히기

✂ 자르는 선

# 똑 똑 한
# 하루 어휘

**총 14권**

**한글 익히기**

예비초등 A　예비초등 B

**예비초등**

*권장 대상: 5~7세 예비 초등
한글을 배우는 아동

- 자음자, 모음자, 받침 등 한글 기초 교재
- 붙임 딱지를 붙이며 한글의 짜임을 이해
- 한글을 익히며 자연스럽게 어휘력 기우기

**맞춤법 + 받아쓰기**

1단계 A, B / 2권

2단계 A, B / 2권

**1~2단계**

*권장 대상: 초등 1학년 ~ 초등 2학년
한글에 익숙한 예비 초등

- 어휘로 공부하는 받아쓰기 교재
- 소리와 글자가 다른 낱말 집중 학습
- QR을 이용한 실전 받아쓰기

3단계 A, B / 2권

4단계 A, B / 2권

**3~4단계**

*권장 대상: 초등 3학년 ~ 초등 4학년
어휘력이 필요한 초등 2학년

- 마인드맵, 꼬리물기 어휘 학습
- 주제 어휘, 알쏭 어휘, 교과 어휘, 한자 어휘 중심
- 어휘의 관계를 중심으로 말의 감각을 키워 주는 어휘 전문 교재

5단계 A, B / 2권

6단계 A, B / 2권

**5~6단계**

*권장 대상: 초등 5학년 ~ 초등 6학년
어휘력이 필요한 초등 4학년

- 해시태그(#) 유사 어휘 퀴즈 학습
- 생활 어휘, 교과 어휘, 한자 어휘 중심
- 속담, 관용어, 사자성어를 중심으로 어휘의 폭을 넓혀 주는, 고학년 어휘 전문 교재

# 똑똑한 하루 어휘

## 한글

## 예비초 B

# 차례

## 똑똑한 하루 어휘 한글

- **하루 4쪽** 학습으로 한글 공부를 더 즐겁게!
- 다양한 낱말을 통한 학습으로 **어휘력**을 풍부하게!
- **그림**과 **붙임 딱지**를 통해 한글 공부를 더 재미있게!
- 낱자 학습(1권) ➡ 글자의 짜임(2권) 순서로
  한글을 **체계적**으로!

**1주**

### 받침이 없는 낱말

# 구성과 특징

## 똑똑한 하루 어휘 한글

## 1 일주일 공부 시작

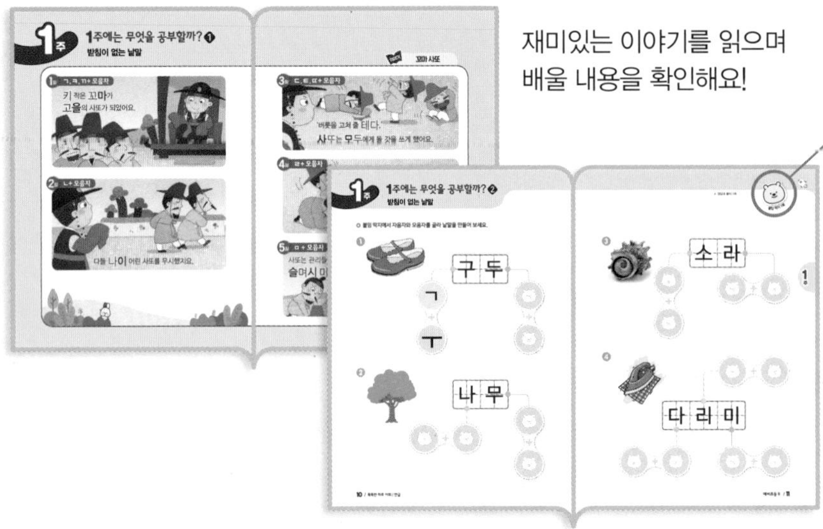

재미있는 이야기를 읽으며 배울 내용을 확인해요!

붙임 딱지를 활용하여 배울 글자를 익혀요!

## 2 하루하루 공부하기

그림을 보며 오늘 배울 글자를 확인해요!

바르게 쓰고 읽는 법을 배워요!

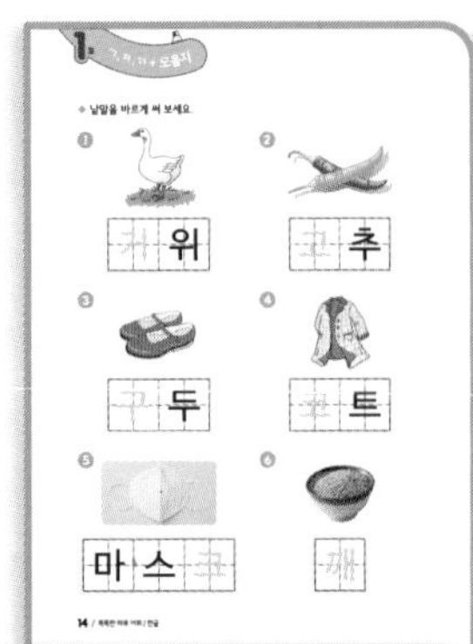

여러 가지 낱말을 통해 글자를 익히며 어휘력을 높여요!

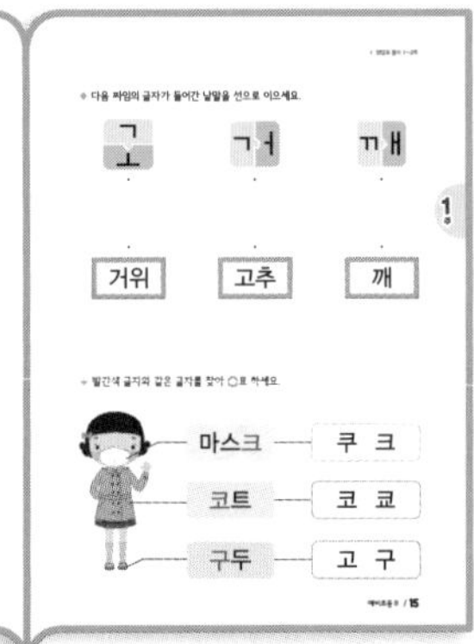

재미있는 활동으로 배운 내용을 확인해요!

## 일주일 공부 **마무리**

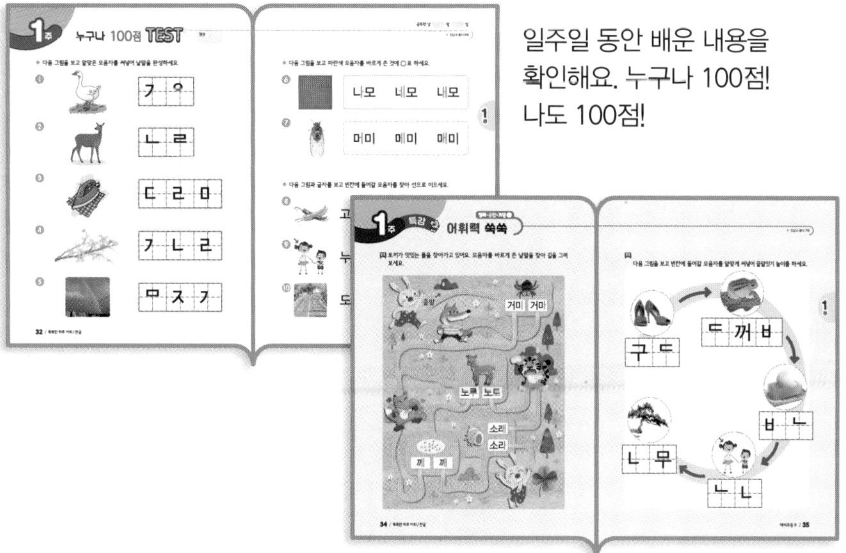


일주일 동안 배운 내용을 확인해요. 누구나 100점! 나도 100점!

재미있는 퀴즈를 풀며 배운 내용을 복습해요!

## 한 권 **마무리**

한 권에서 배운 내용을 한 번에 마무리! 다양한 문제로 한 권 전체 내용을 완벽하게 익혀요!

# 글자를 만들어요

자음자와 모음자가 만나면 글자가 돼요.

자음자 옆에 붙은 모음자

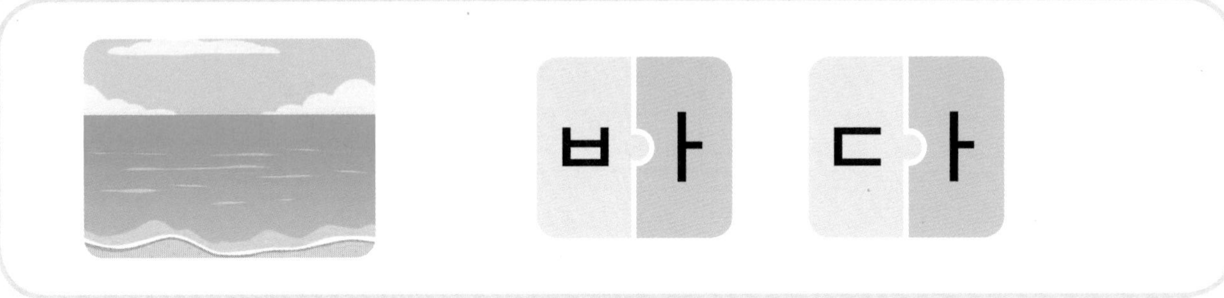


자음자 아래에 붙은 모음자

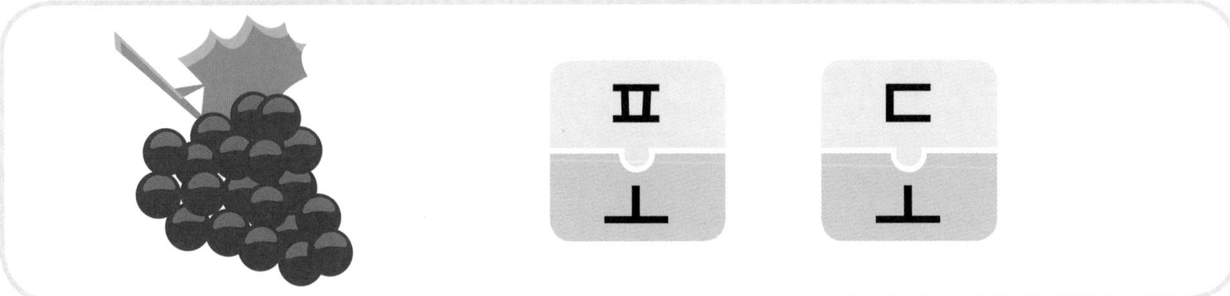


## 알맞은 자음자와 모음자를 써 보세요

# 받침이 있는 글자를 알아보아요

받침은 글자에서 아래쪽에 있는 자음자예요.

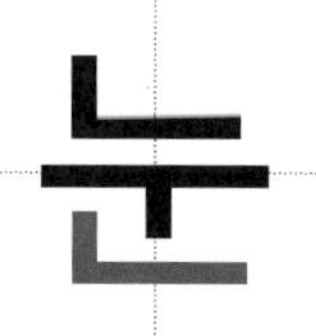

받침이 없는 글자 아래쪽에 자음자를 붙여 만들어요.

ㅊ ㅏ

차

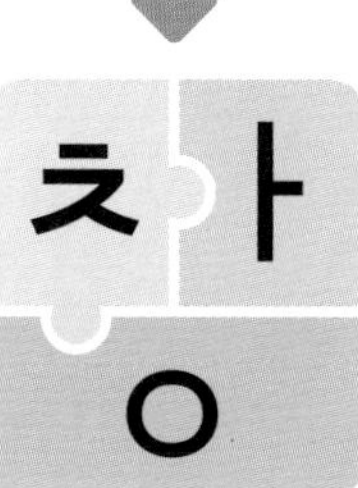

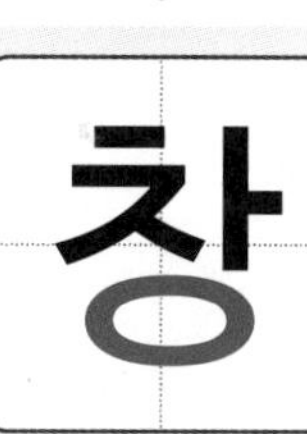

## 알맞은 받침을 써넣어 보세요

ㅍ ㅏ

ㅁ

ㅜ

# 1주에는 무엇을 공부할까? ①

## 받침이 없는 낱말

1일 ㄱ, ㅋ, ㄲ+ 모음자

키 작은 꼬마가
고을의 사또가 되었어요.

2일 ㄴ+ 모음자

다들 나이 어린 사또를 무시했지요.

3일 ㄷ, ㅌ, ㄸ + 모음자
'버릇을 고쳐 줄 테다.'
사또는 모두에게 돌 갓을 쓰게 했어요.

4일 ㄹ + 모음자
관리들은 엎드려
용서를 빌었어요.

5일 ㅁ + 모음자
사또는 관리들을 보고
슬며시 미소를 지었어요.

# 1주에는 무엇을 공부할까? ❷

## 받침이 없는 낱말

✪ 붙임 딱지에서 자음자와 모음자를 골라 낱말을 만들어 보세요.

❶

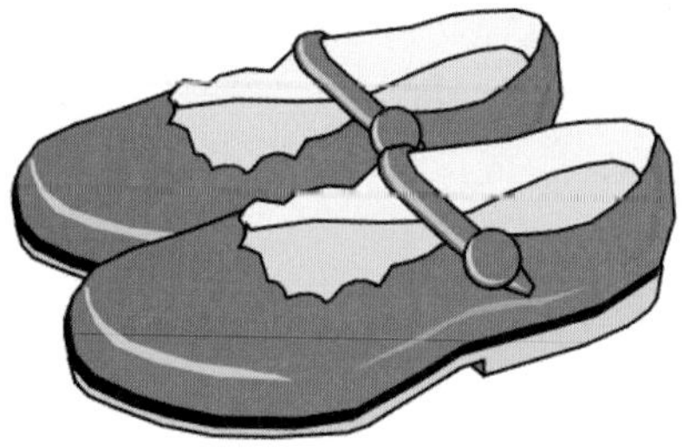

구두

ㄱ + ㅜ

❷

나무

◐ 정답과 풀이 1쪽

붙임 딱지 1쪽

3

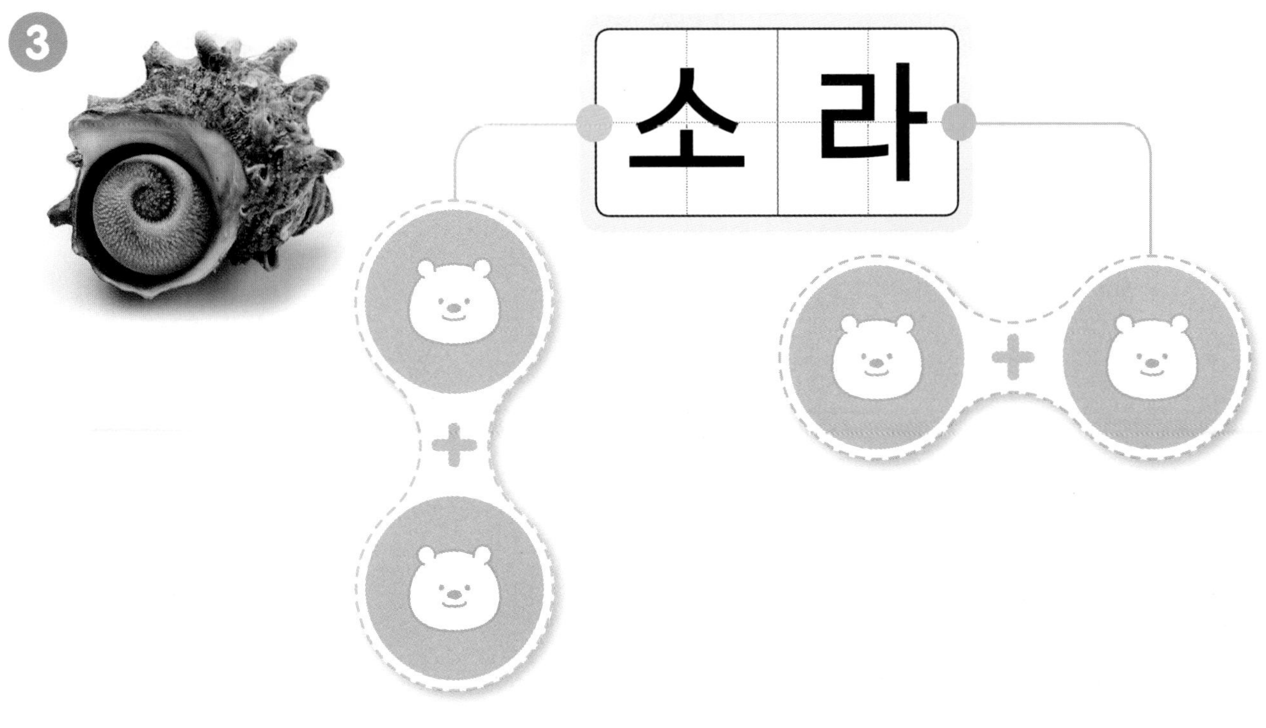


4

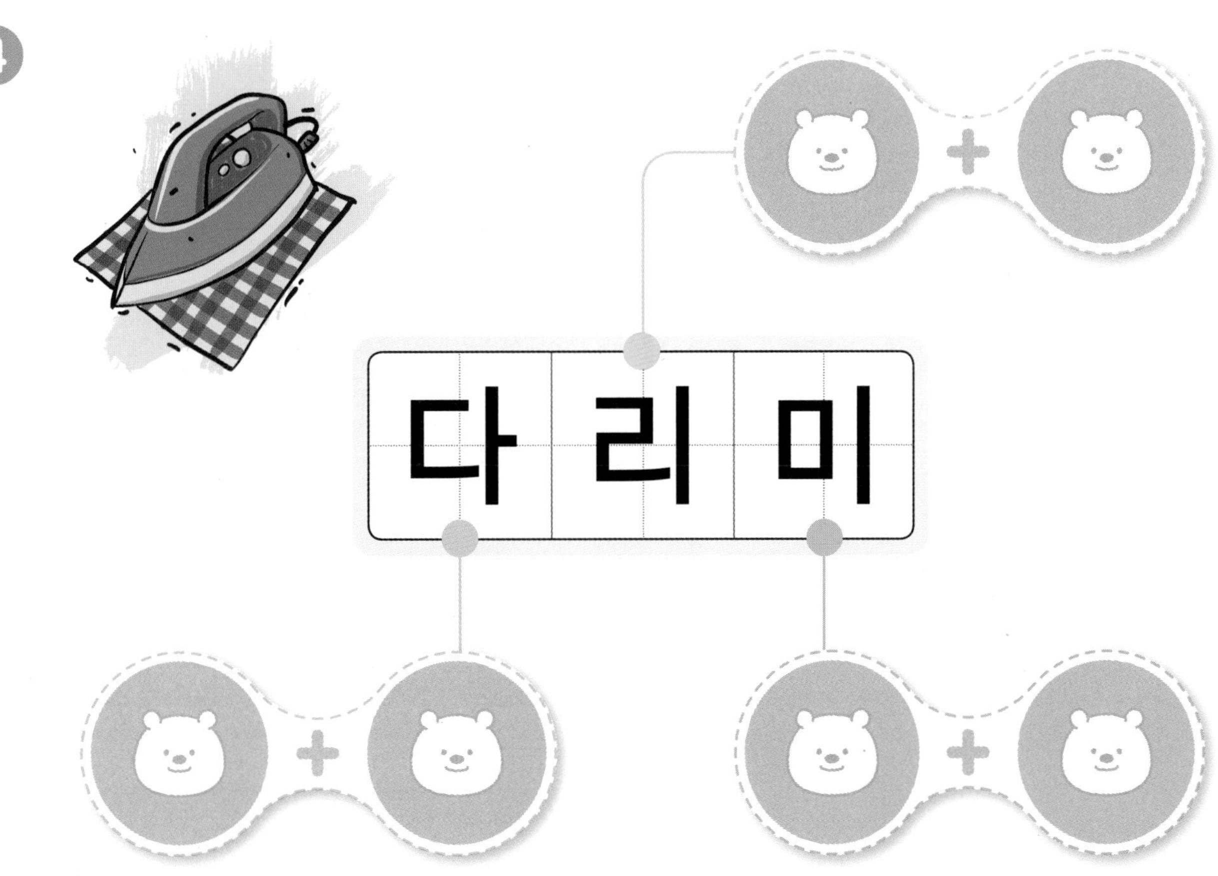


1주

1일
ㄱ, ㅋ, ㄲ + 모음자
빨간색으로 쓴 글자의 짝임을 찾아 붙이세요.
붙임딱지 2쪽
까치
가지
코스모스

◆ 글자의 짜임을 생각하며 써 보세요.

❶ 

ㄱ ㅏ 지 → 가 지

❷ 

코 스 모 스

❸ 

ㄲ ㅏ 치 → 까 치

◆ 낱말을 바르게 써 보세요.

◆ 다음 짜임의 글자가 들어간 낱말을 선으로 이으세요.

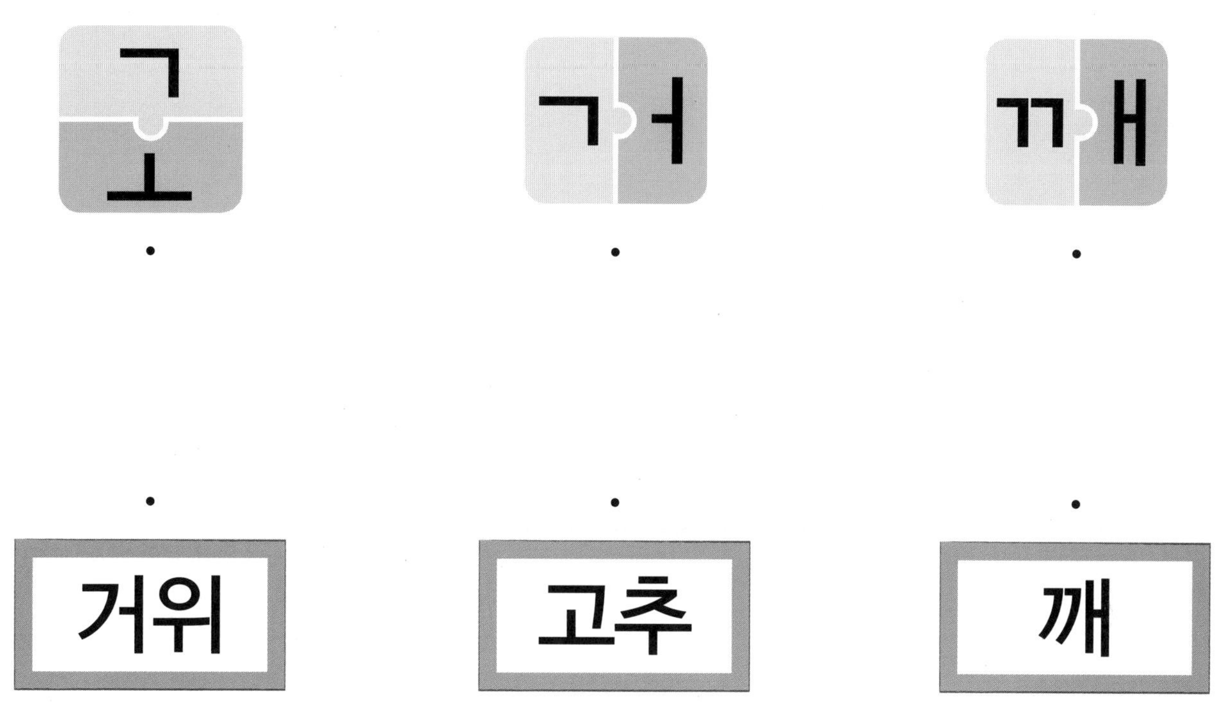




◆ 빨간색 글자와 같은 글자를 찾아 ○표 하세요.

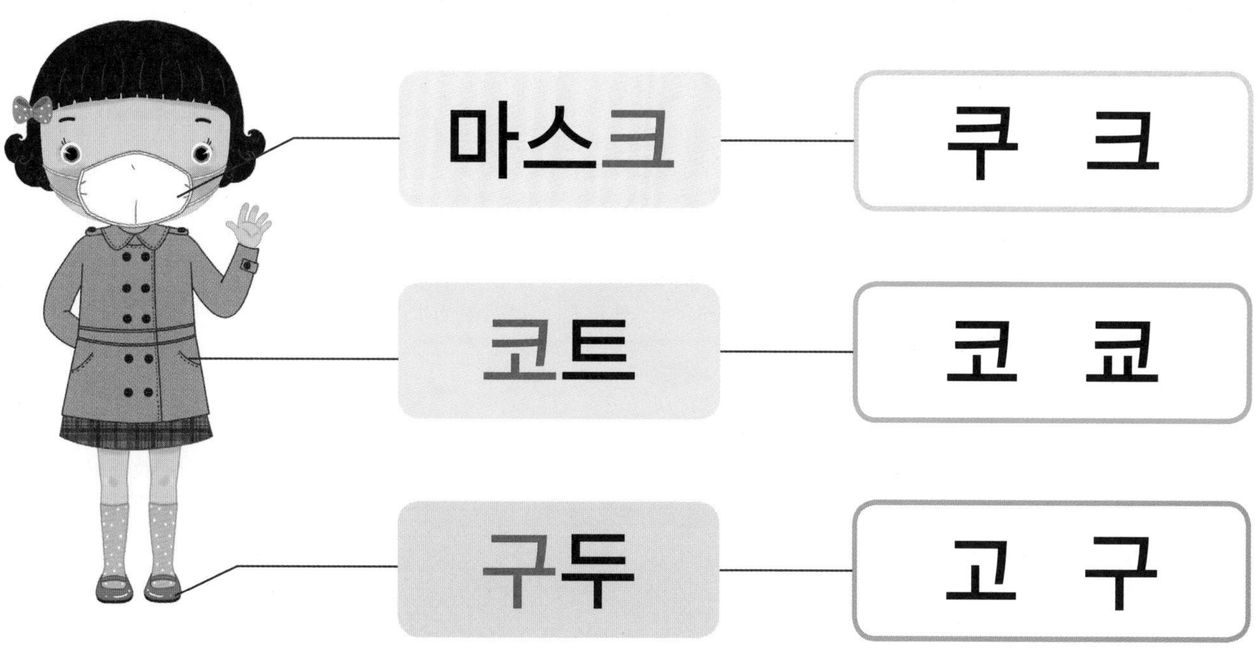

# 2일 ㄴ + 모음자

빨간색으로 쓴 글자의 짜임을 찾아 붙이세요.

붙임 딱지 2쪽

◆ 글자의 짜임을 생각하며 써 보세요.

1

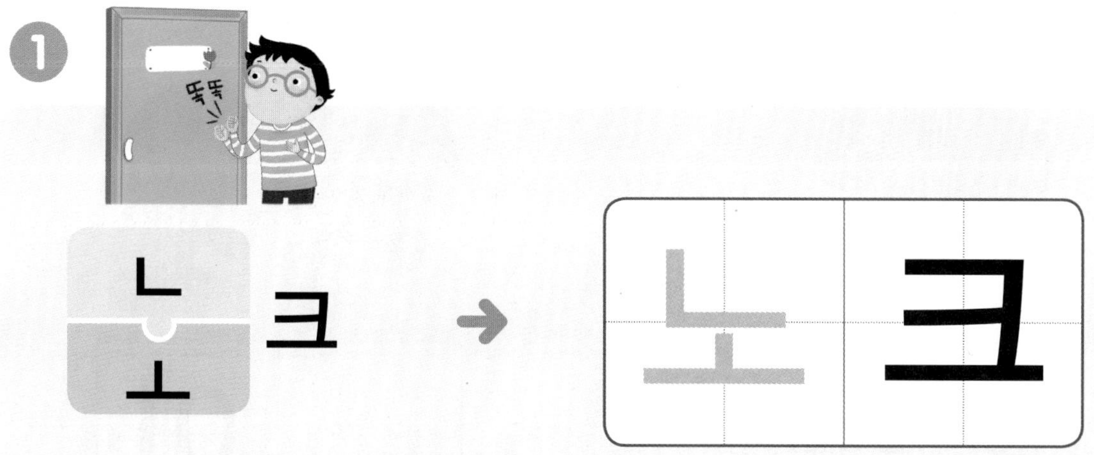


2

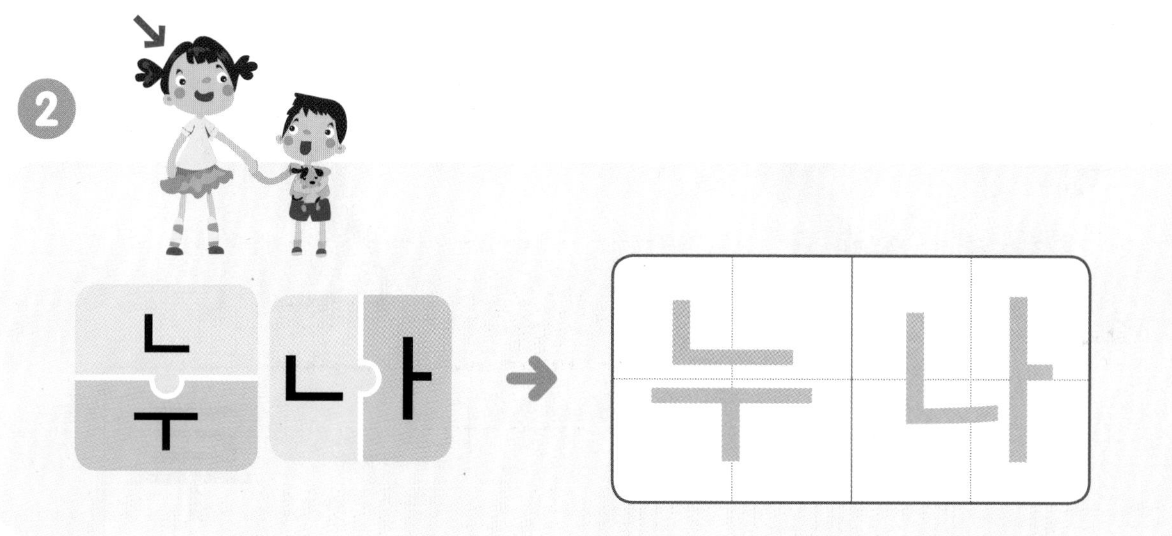


3

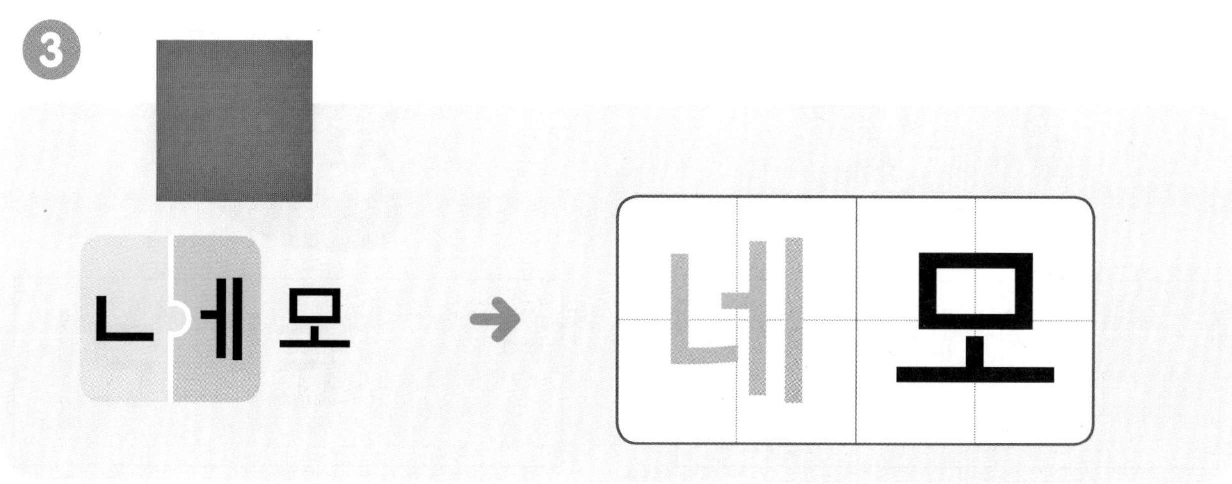

## 2일 ㄴ + 모음자

◆ 낱말을 바르게 써 보세요.

◐ 정답과 풀이 2~3쪽

◆ 다음 짜임의 글자가 들어간 낱말에 ○표 하세요.

◆ ㄴ/ㅗ 에 들어가는 자음자와 모음자를 따라가서 나오는 낱말에 ○표 하세요.

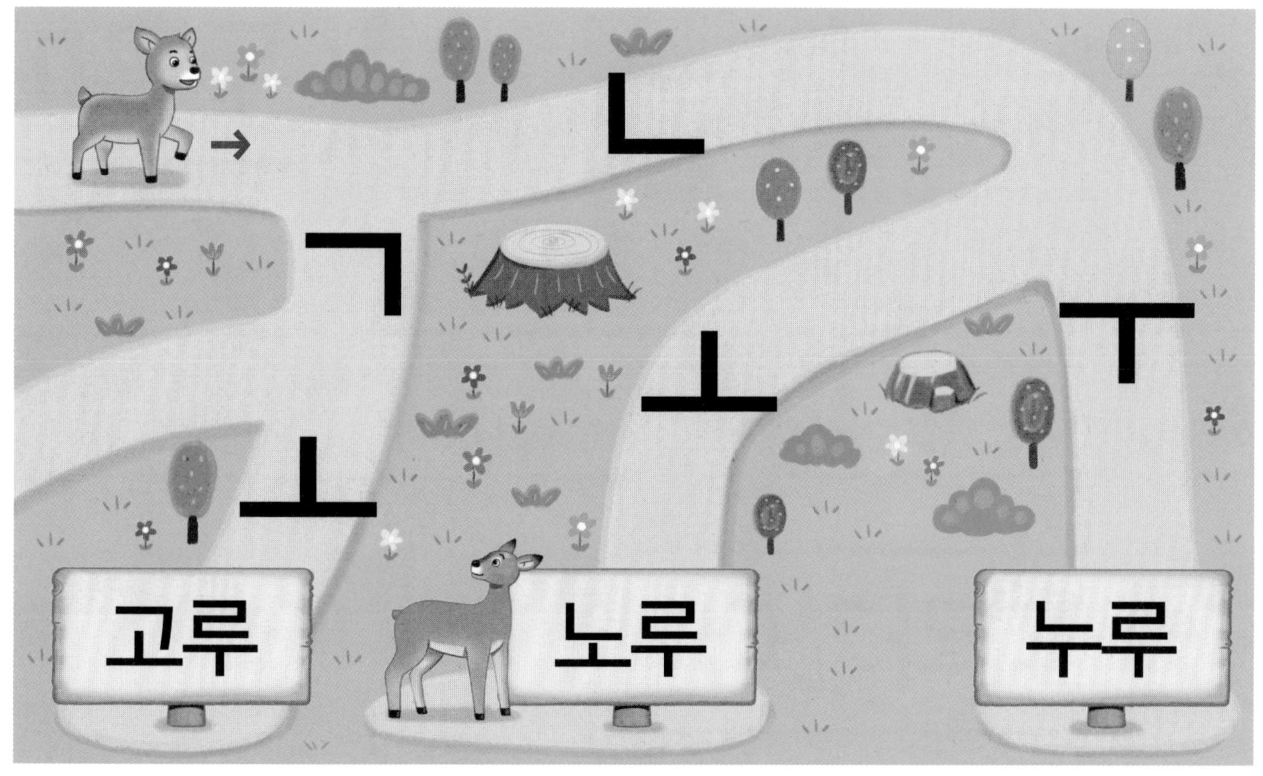

# 3일 ㄷ, ㅌ, ㄸ + 모음자

빨간색으로 쓴 글자의 짜임을 찾아 붙이세요.

붙임 딱지 2쪽

◆ 글자의 짜임을 생각하며 써 보세요.

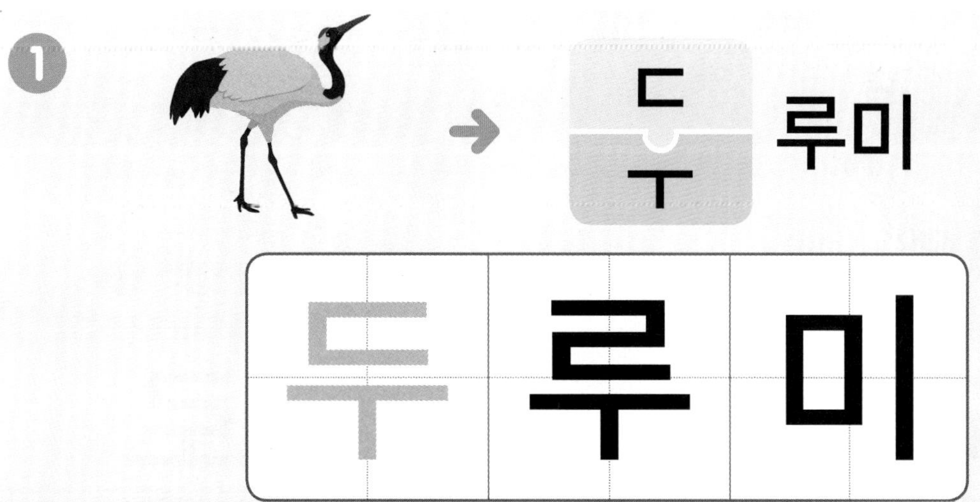

❶ → ㄷ ㅜ 루미

두 루 미

❷

ㅌ ㅏ ㄷ ㅏ → 타 다

❸ → ㄸ ㅏ 라가 ㄷ ㅏ

따 라 가 다

◆ 낱말을 바르게 써 보세요.

◐ 정답과 풀이 3~4쪽

◆ 다음 짜임의 글자가 들어간 낱말을 선으로 이으세요.

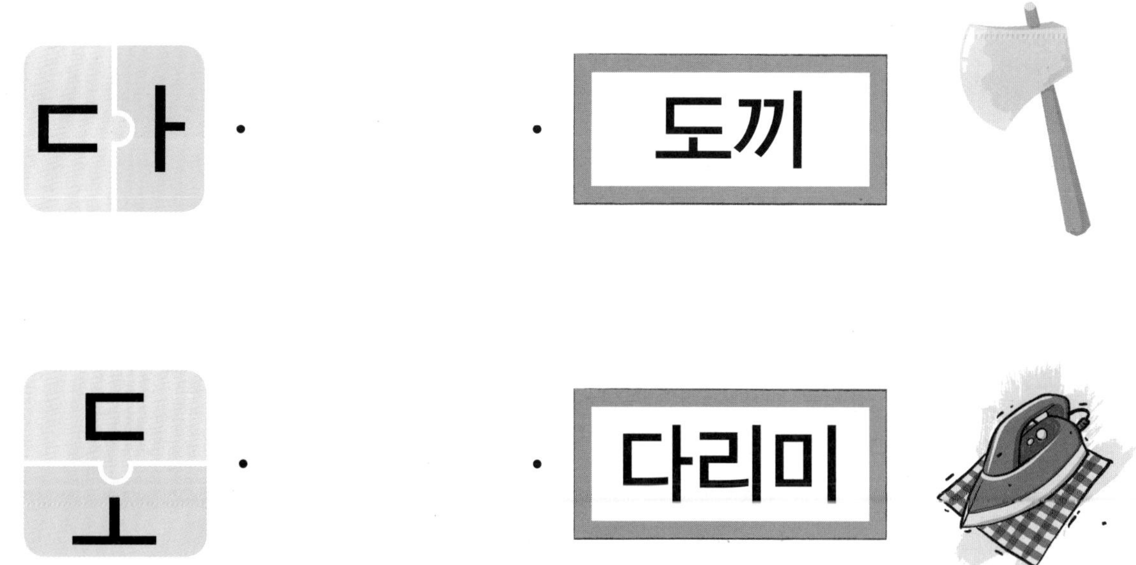


1주

◆ 티를 따라가면 나오는 낱말에 ○표를 하고 소리 내어 읽어 보세요.

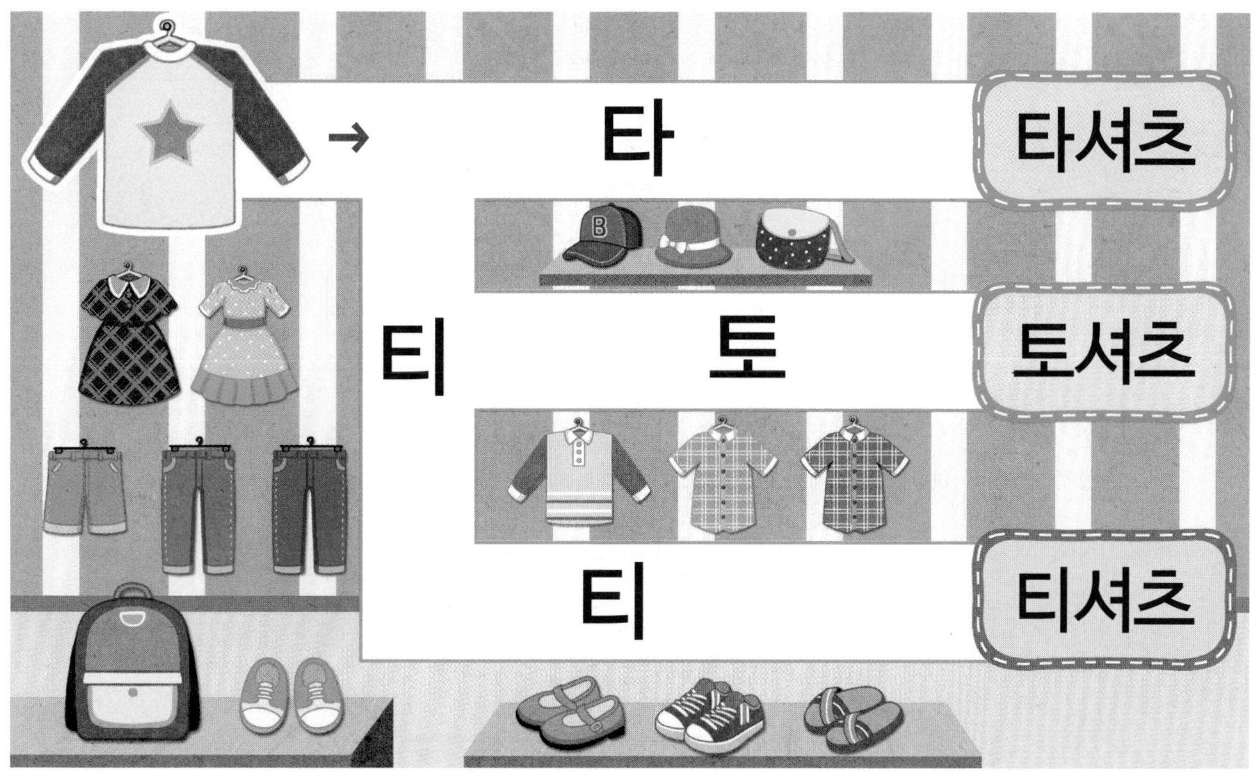

# 4일 ㄹ + 모음자

빨간색으로 쓴 글자의 짜임을 찾아 붙이세요.

붙임 딱지 2쪽

◆ 글자의 짜임을 생각하며 써 보세요.

1
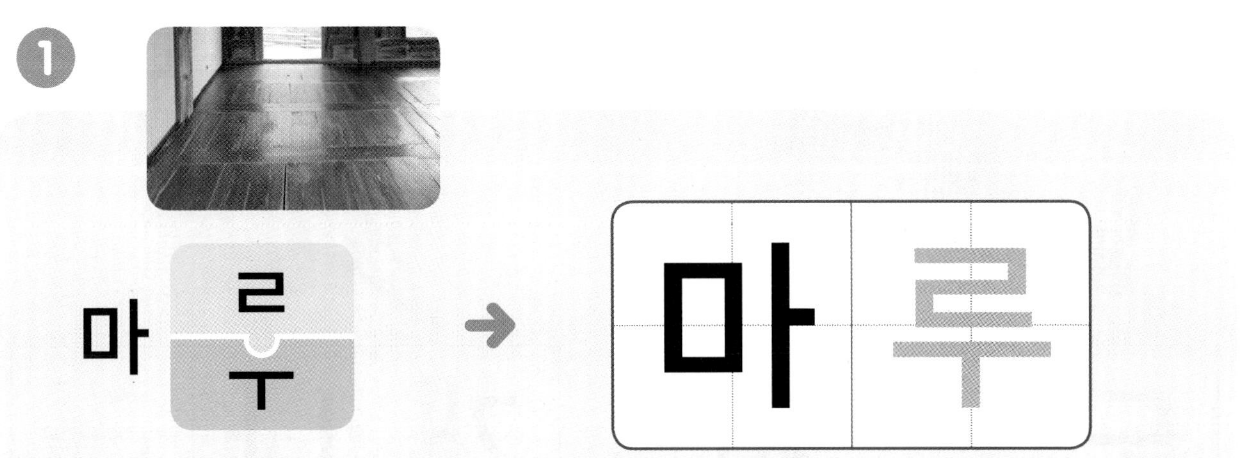


2
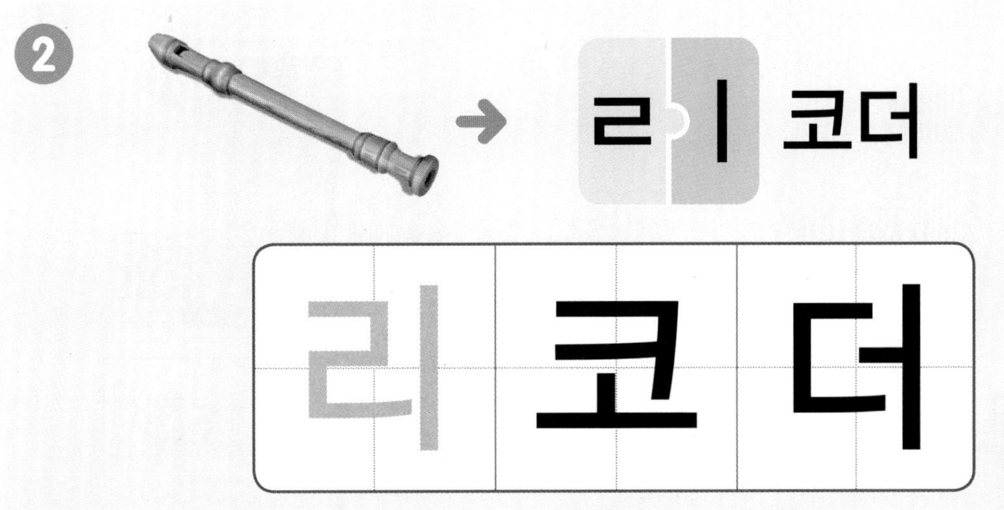


3
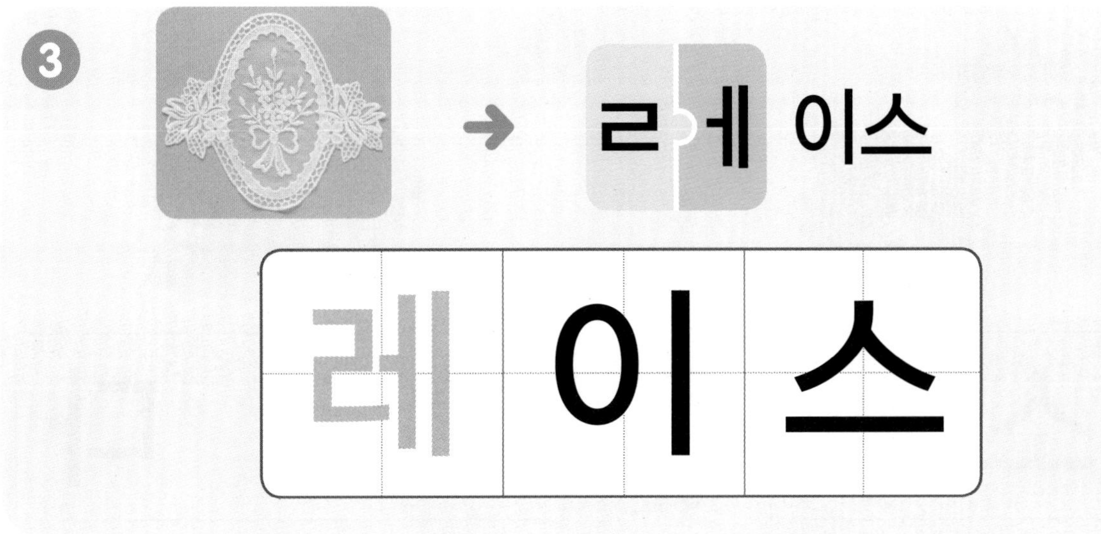

◆ 낱말을 바르게 써 보세요.

◐ 정답과 풀이 4~5쪽

◆ 빈칸에 들어갈 알맞은 글자를 선으로 이으세요.

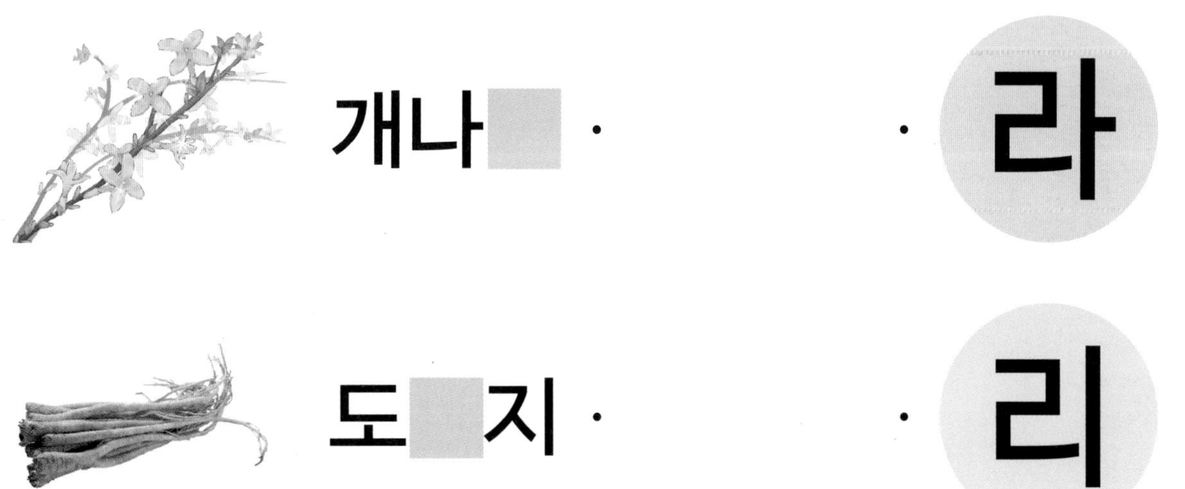


1
주

◆ 자음자 ㄹ과 모음자로 짜인 글자가 들어 있는 낱말을 2개 골라 ○표 하세요.

5일
ㅁ + 모음자
붙임 딱지 2쪽
빨간색으로 쓴 글자의 짝임을 찾아 붙이세요.
무지개
모래
마시다

◆ 글자의 짜임을 생각하며 써 보세요.

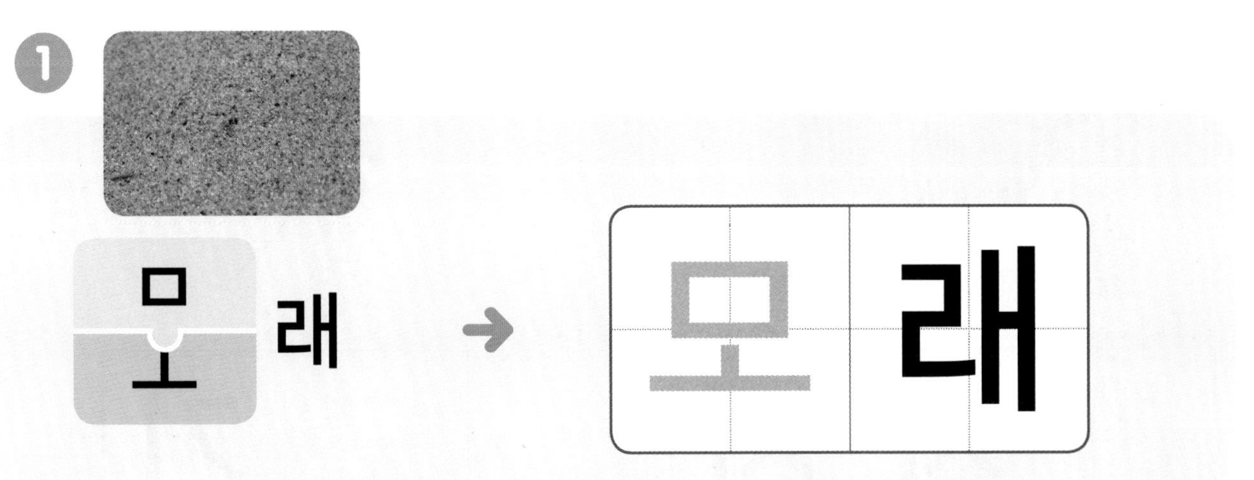


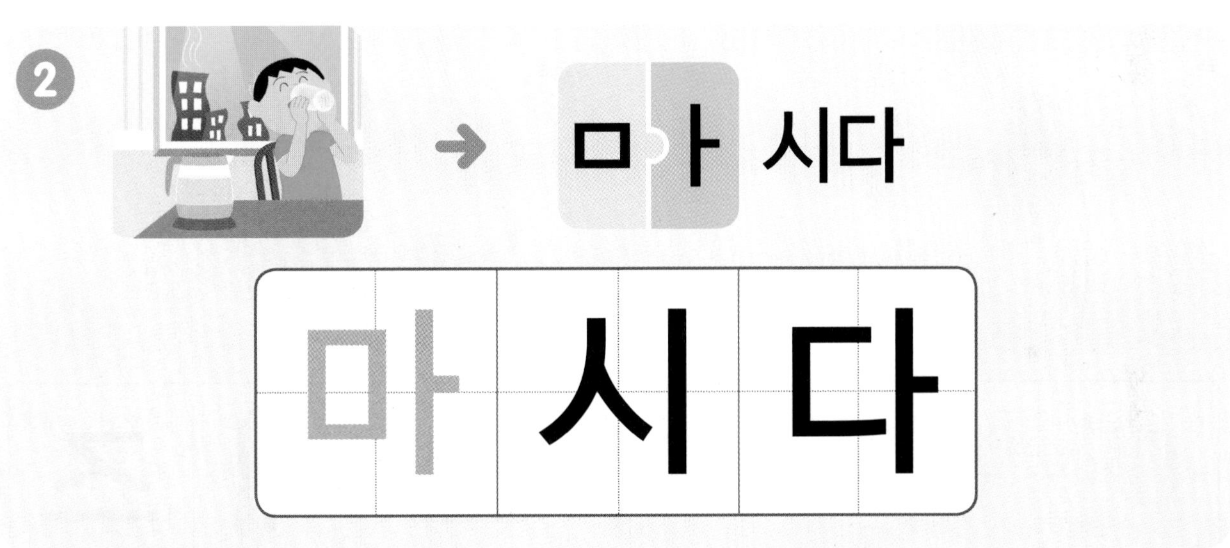


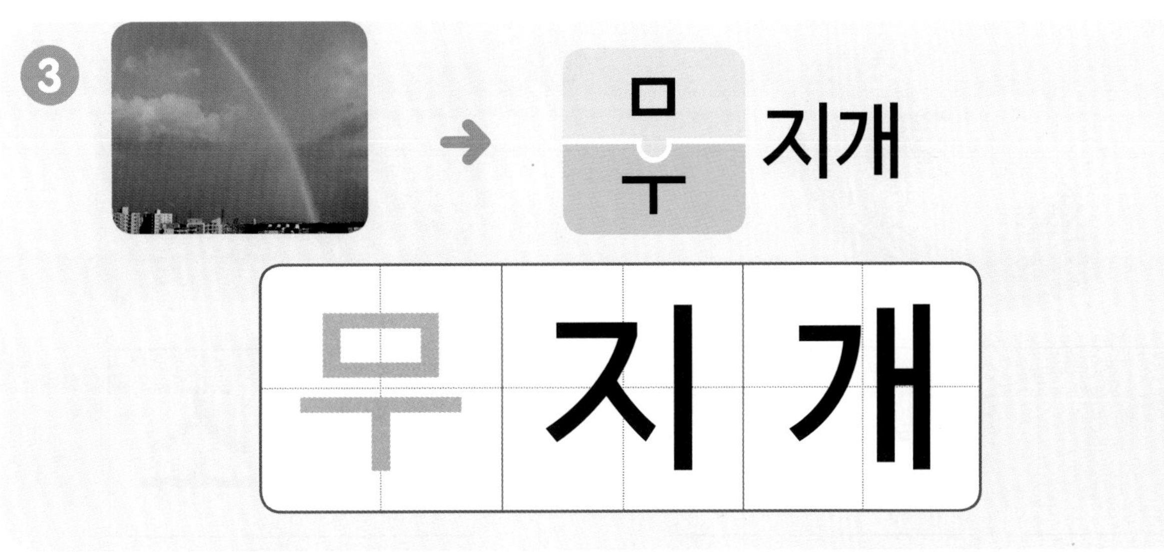

5일

## ㅁ + 모음자

◆ 낱말을 바르게 써 보세요.

◆ 자음자 ㅁ과 모음자를 모아 빈칸에 알맞은 글자를 쓰세요.

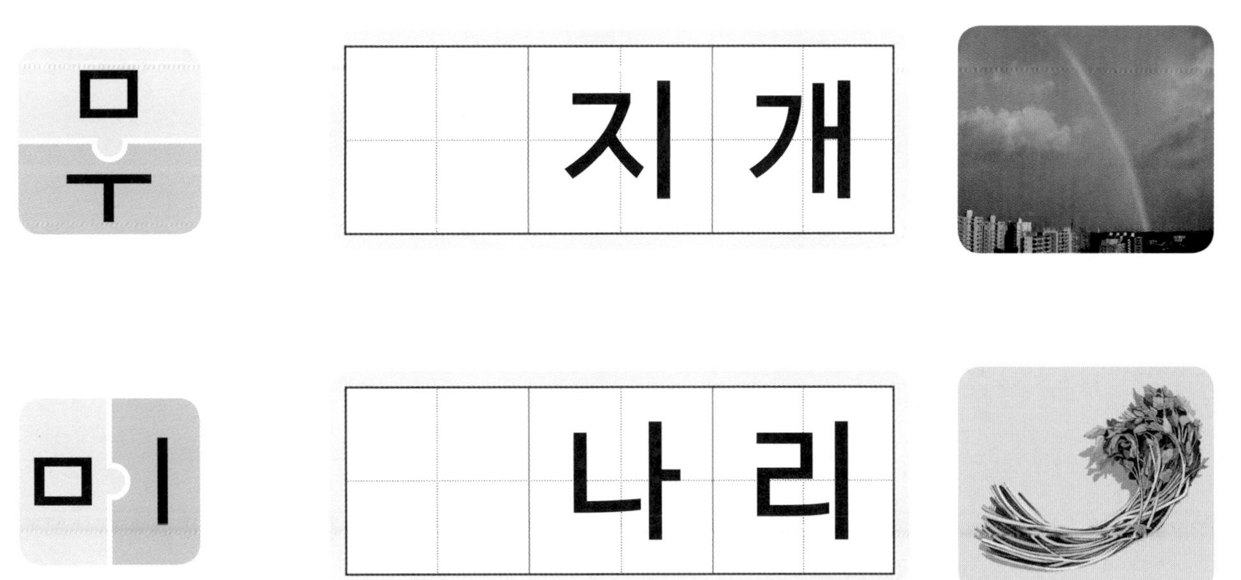




◆ 자음자 ㅁ과 모음자 ㅗ가 모인 글자가 들어간 낱말을 골라 ○표 하세요.

1주

# 누구나 100점 TEST

점수

◆ 다음 그림을 보고 알맞은 모음자를 써넣어 낱말을 완성하세요.

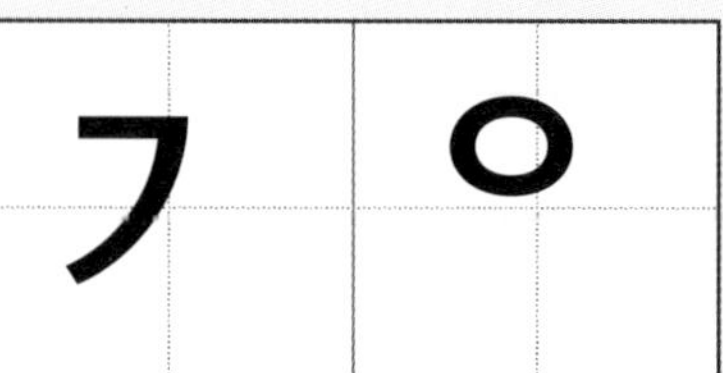


2

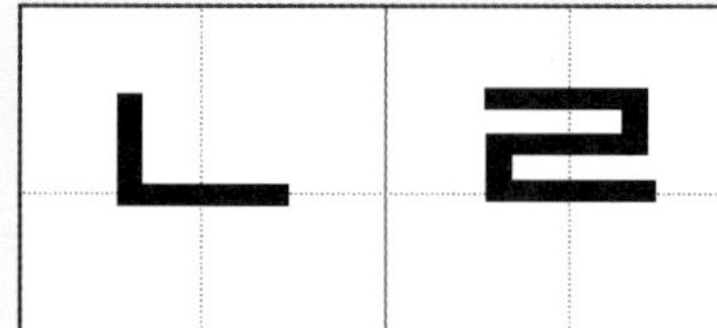


3

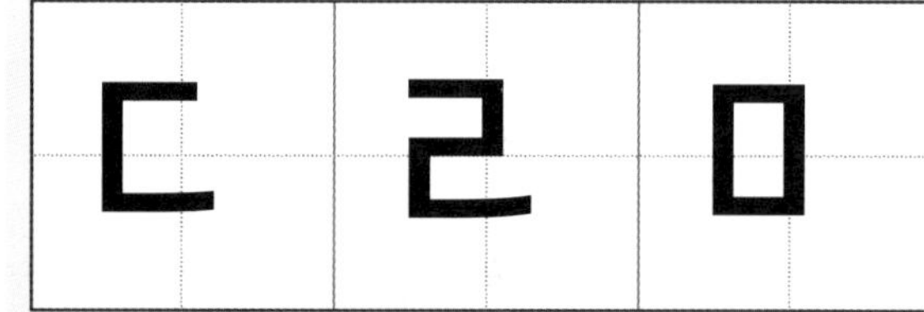


4

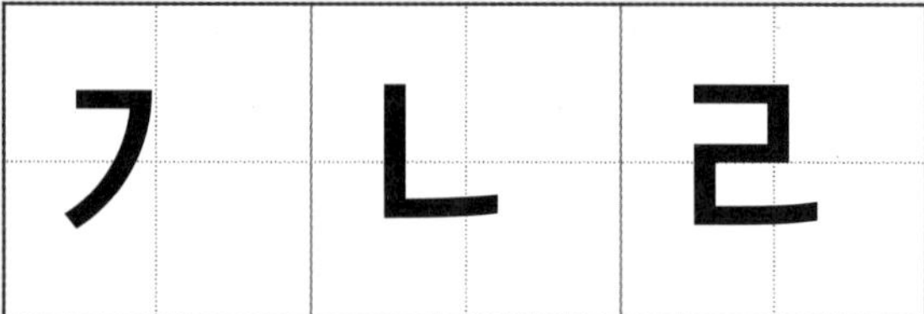


5

ㅁ ㅈ ㄱ

◆ 다음 그림을 보고 파란색 모음자를 바르게 쓴 것에 ○표 하세요.

6 

나모 네모 내모

 7 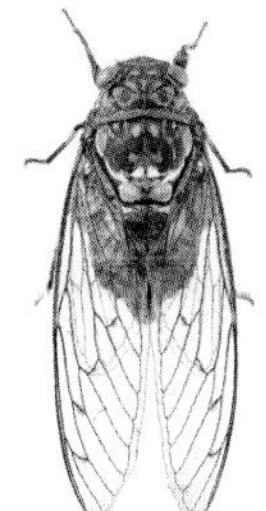

머미 메미 매미

◆ 다음 그림과 글자를 보고 빈칸에 들어갈 모음자를 찾아 선으로 이으세요.

 8 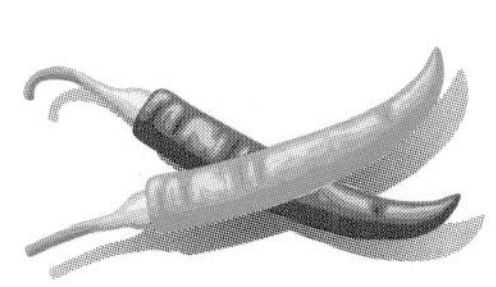

고ㅊ ·

· 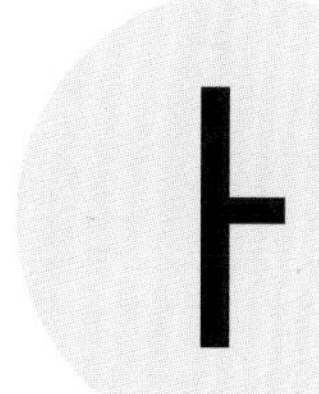 ㅏ

 9 

누ㄴ ·

·  ㅜ

10 

도ㄹ ·

·  ㅗ

1주

창의·융합·코딩 ❶

# 어휘력 쑥쑥

📖 토끼가 맛있는 풀을 찾아가고 있어요. 모음자를 바르게 쓴 낱말을 찾아 길을 그려 보세요.

출발

거미 거마

노루 노로

소래

소라

끼 깨

1 주

다음 그림을 보고 빈칸에 들어갈 모음자를 알맞게 써넣어 끝말잇기 놀이를 하세요.

창의·융합·코딩 ②

# 창의력 쑥쑥

📖 낱말이 바르게 쓰인 칸을 색칠해 보세요. 그리고 색칠한 부분은 어떤 모양인지 알맞은 것을 골라 ○표 하세요.

| | | |
|---|---|---|
|  까치 |  거위 |  노나 |
|  누루 |  두루미 | 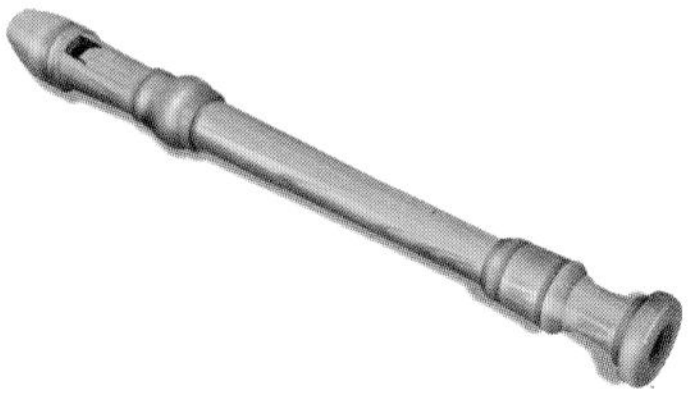 리코더 |
| 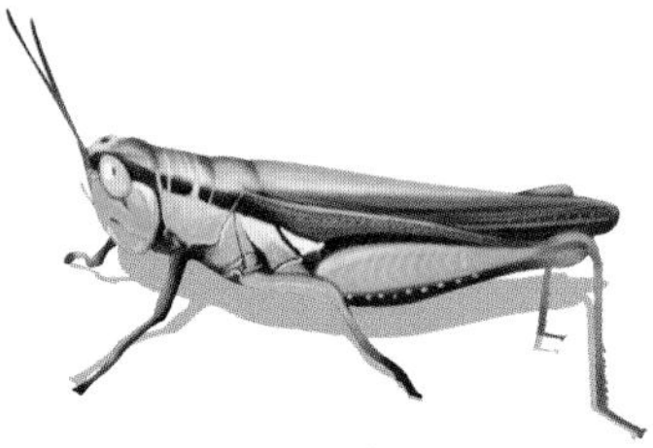 메또기 | 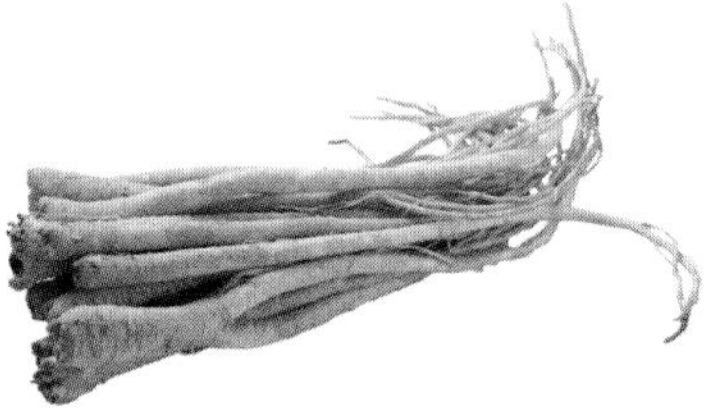 두라지 |  티셔츠 |

◐ 정답과 풀이 7쪽

1주

그림에 알맞은 그림자와 낱말을 차례로 선으로 이어 보세요.

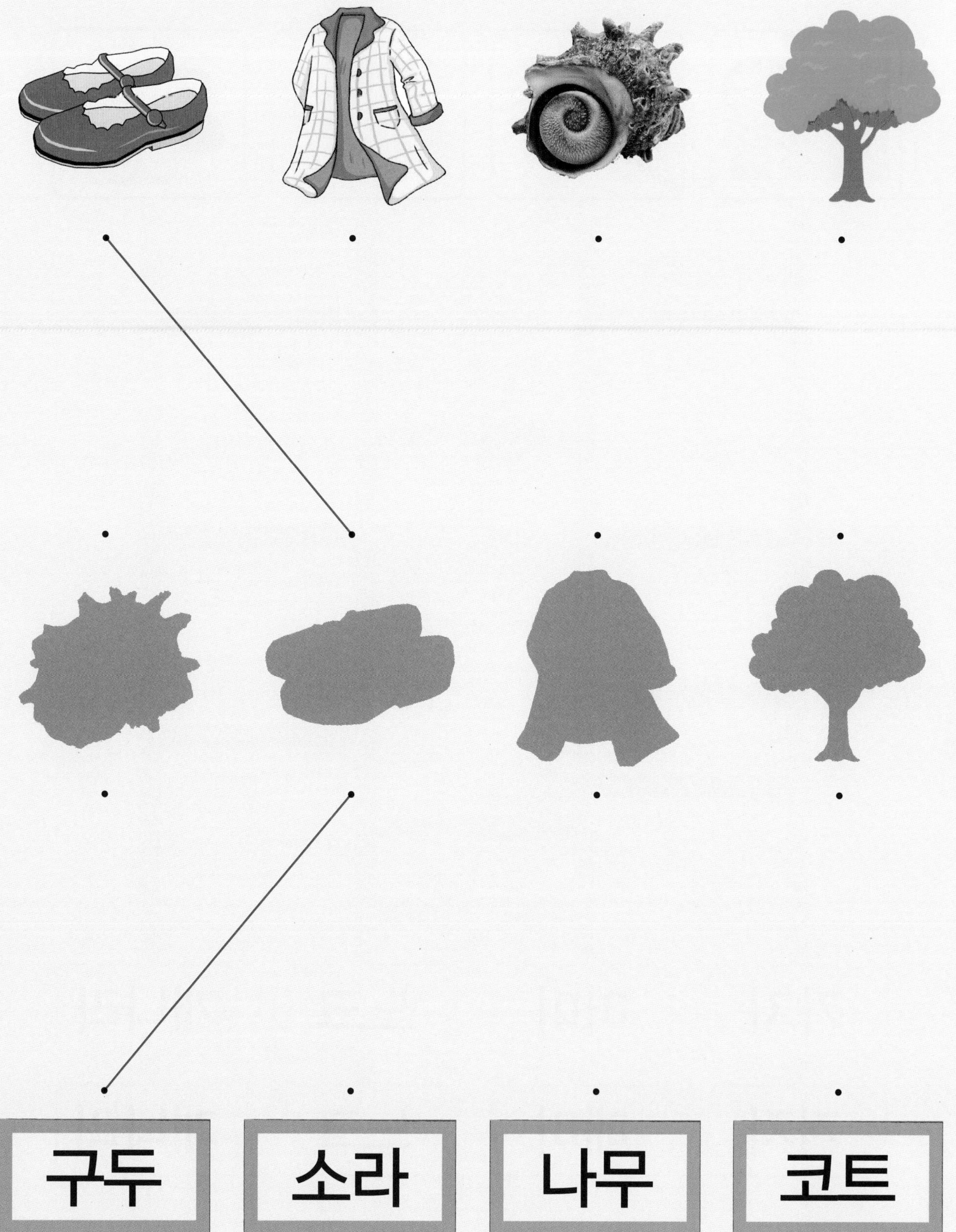

| 구두 | 소라 | 나무 | 코트 |
|---|---|---|---|

# 사고력 쑥쑥

사다리를 타고 내려가서 알맞은 낱말에 ○표 하세요.

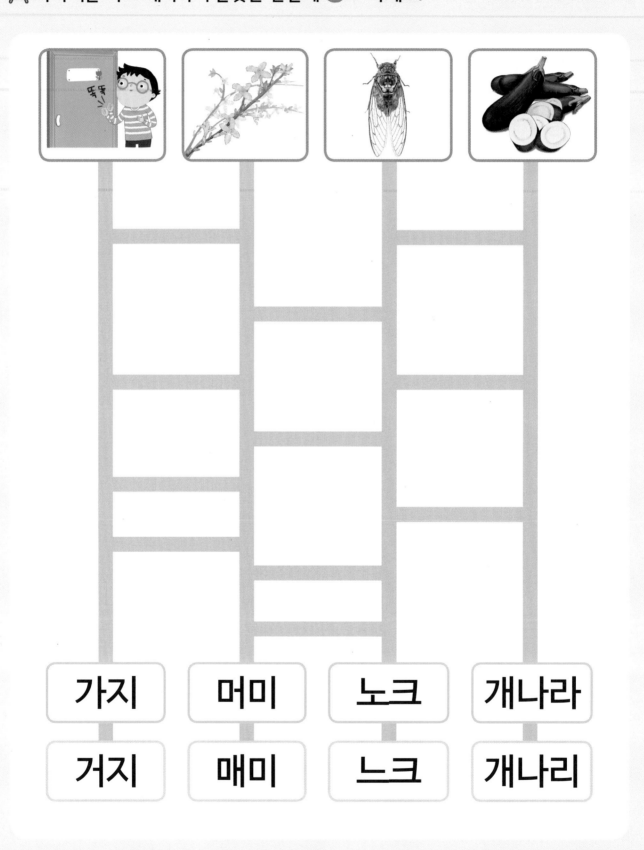

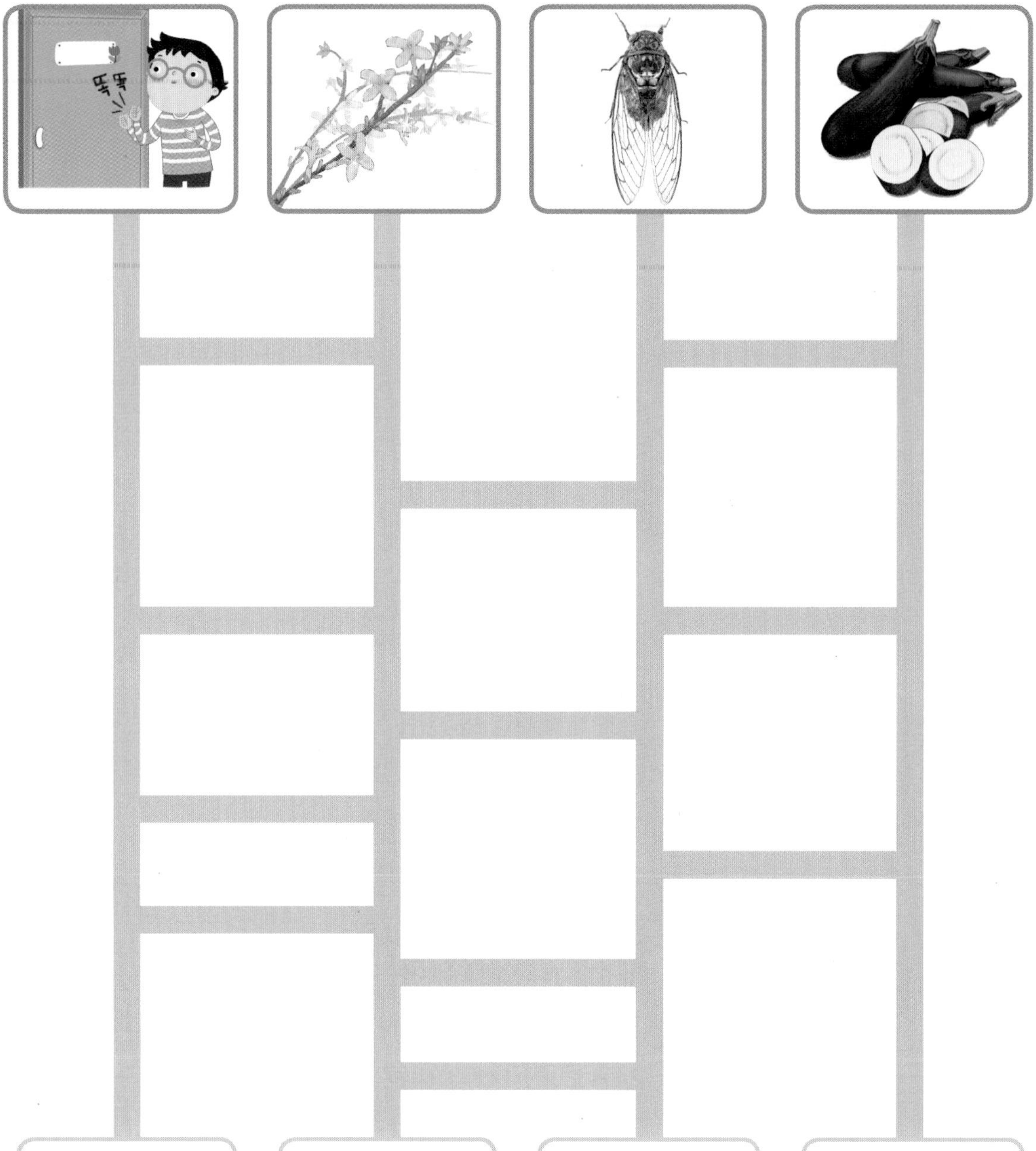

| 가지 | 머미 | 노크 | 개나라 |
|---|---|---|---|
| 거지 | 매미 | 느크 | 개나리 |

빈칸에 들어갈 글자를 보기 에서 찾아 쓰세요.

보기

미 가 리 모

| | | | | |
|---|---|---|---|---|
| | | | | |
| | | 기 | | |
| | 래 | | | 두 |
| | | | | 루 |
| | | 다 | 리 | |

# 2주에는 무엇을 공부할까? ❶

## 받침이 없는 낱말

1일 ㅂ, ㅍ, ㅃ+ 모음자
바람이 해를 찾아왔어요.

2일 ㅅ, ㅆ+ 모음자
바람은 세상에서
힘이 가장 세다고 자랑했어요.

3일 ㅇ+ 모음자
"나그네의 외투를 먼저 벗기면 힘이
가장 센 것으로 하자."

4일 ㅈ, ㅊ, ㅉ+ 모음자
바람이 세게 불자 나그네는 추워서
외투를 더 단단히 입었어요.

5일 ㅎ + 모음자
해가 쨍쨍 내리쬐자
나그네는 외투를 벗었어요.

# 2주에는 무엇을 공부할까? ❷

## 받침이 없는 낱말

✪ 붙임 딱지에서 자음자와 모음자를 찾아 낱말을 만들어 보세요.

❶

ㅅ + ㅏ

사

❷

\+

\+

\+

아 파 트

3

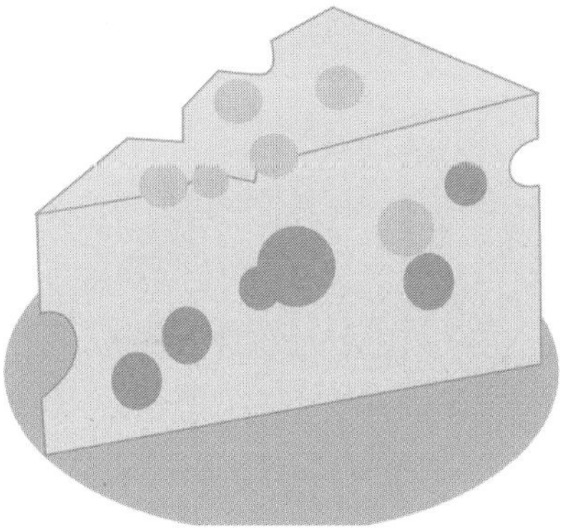

치즈

4

더하다

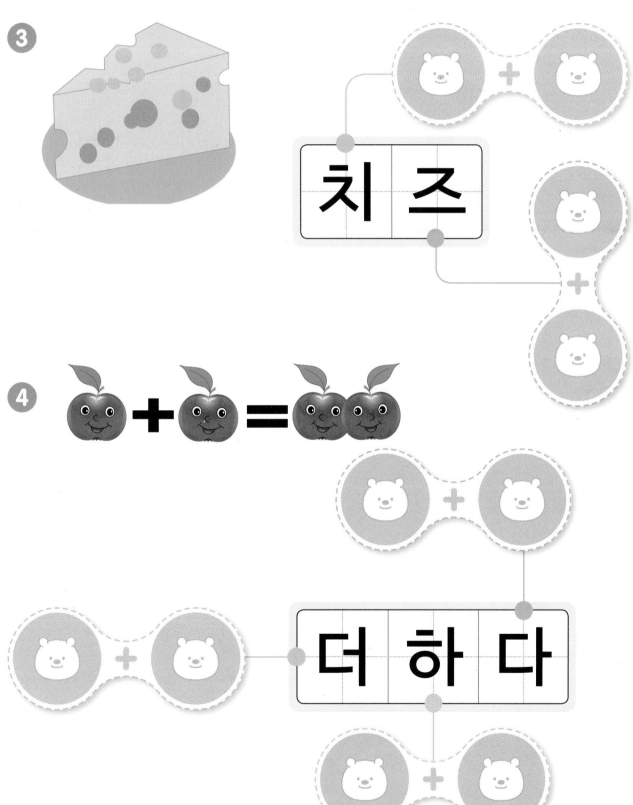

# 1일 ㅂ, ㅍ, ㅃ + 모음자

빨간색으로 쓴 글자의 짜임을 찾아 붙이세요.

붙임 딱지 4쪽

◆ 글자의 짜임을 생각하며 써 보세요.

❶

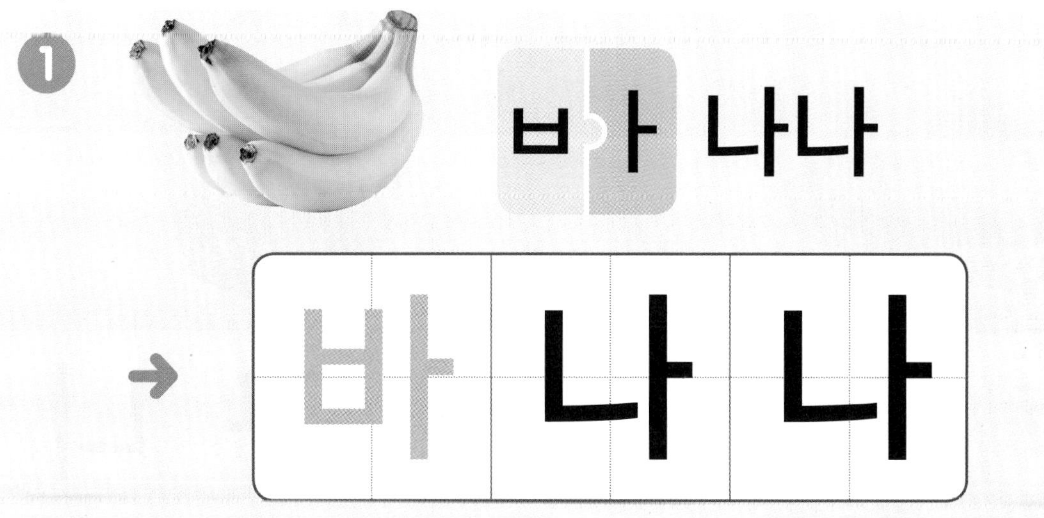


❷

❸

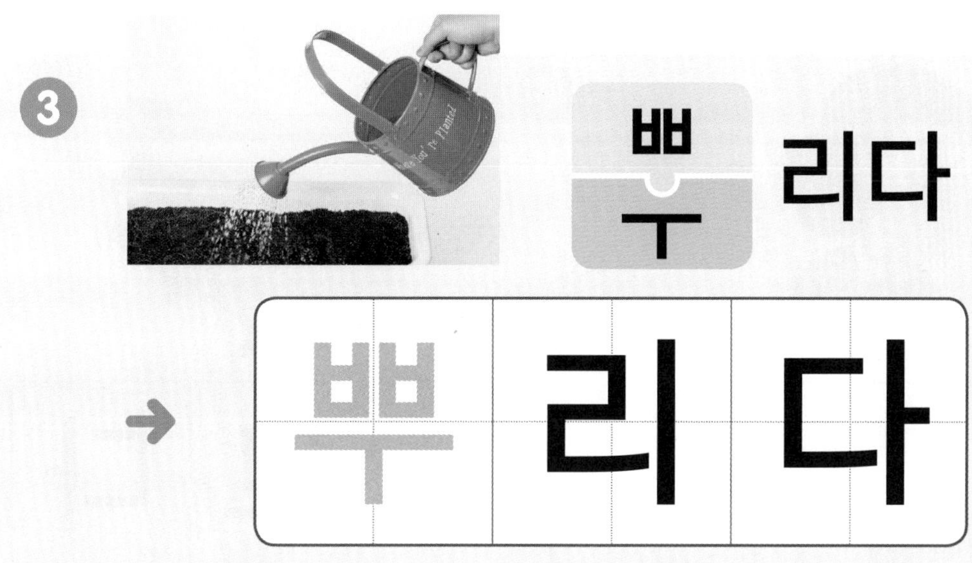

◆ 낱말을 바르게 써 보세요.

◆ 다음 짝임의 글자가 들어간 낱말을 선으로 이으세요.

◆ 다음 낱말에 들어간 같은 모음자에 색칠하세요.

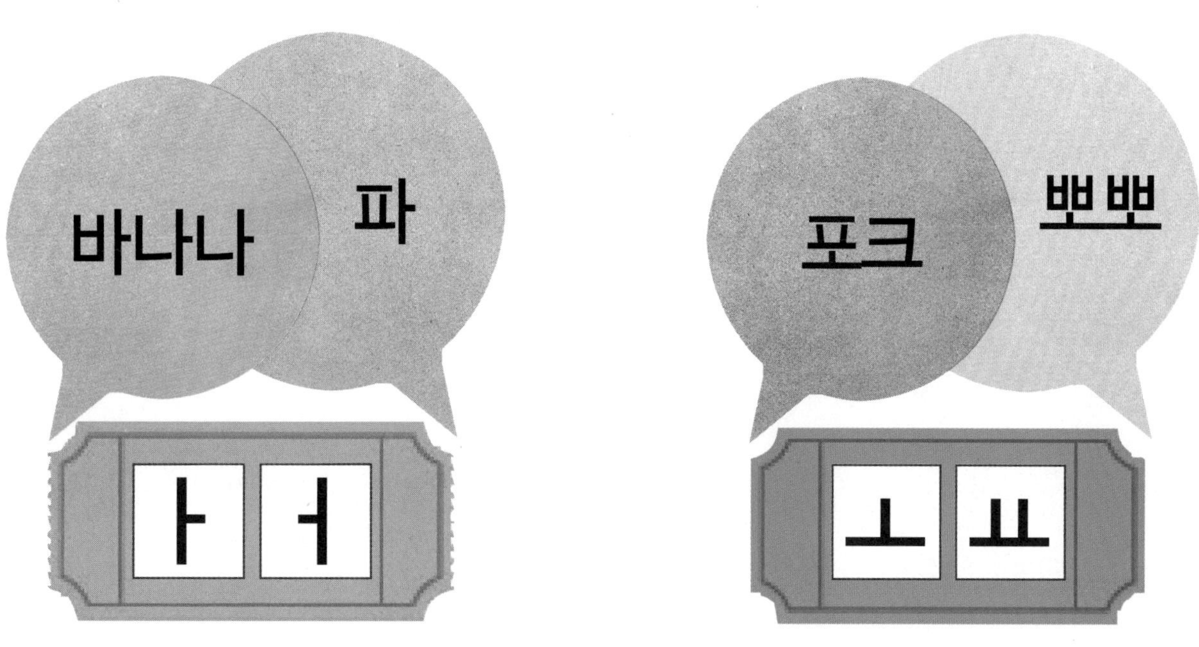

# 2일 ㅅ, ㅆ + 모음자

빨간색으로 쓴 글자의 짜임을 찾아 붙이세요.

붙임 딱지 4쪽

◆ 글자의 짜임을 생각하며 써 보세요.

❶

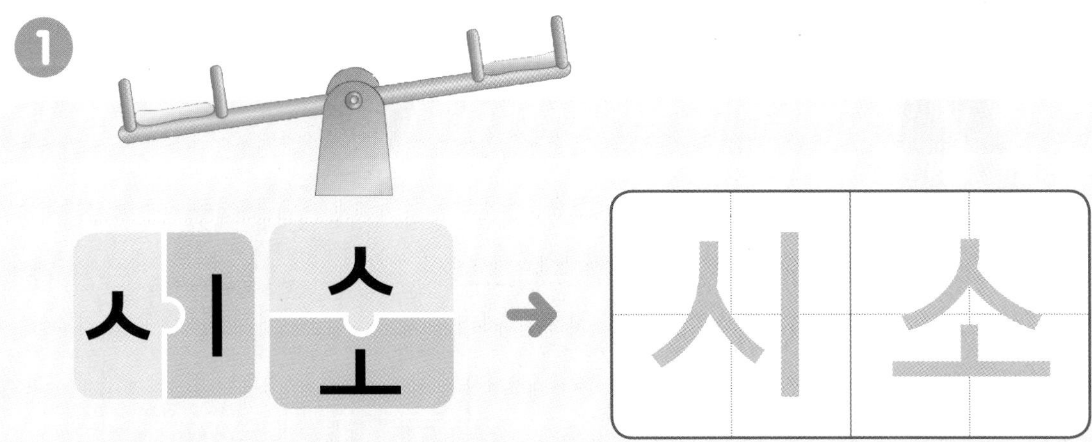


❷

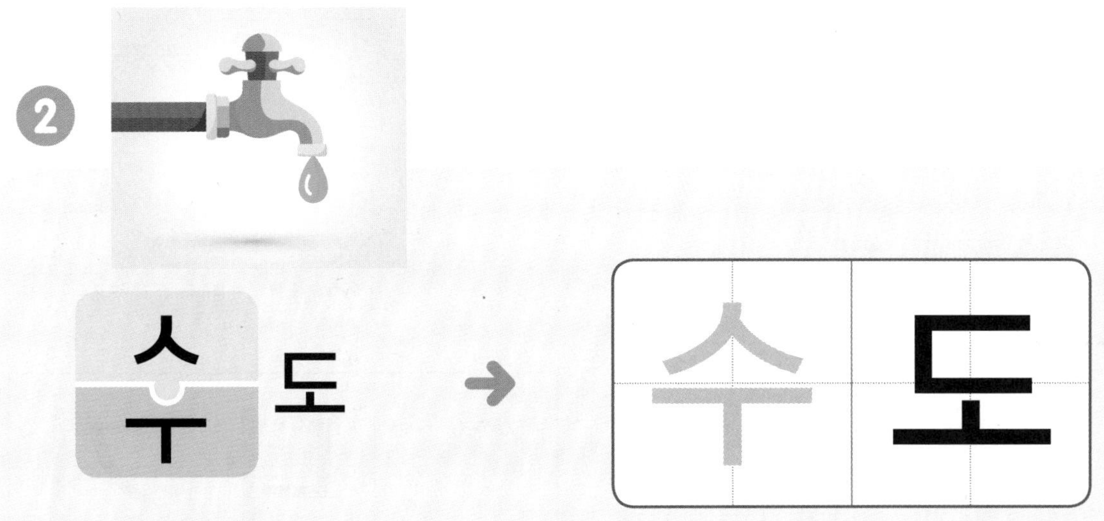


❸

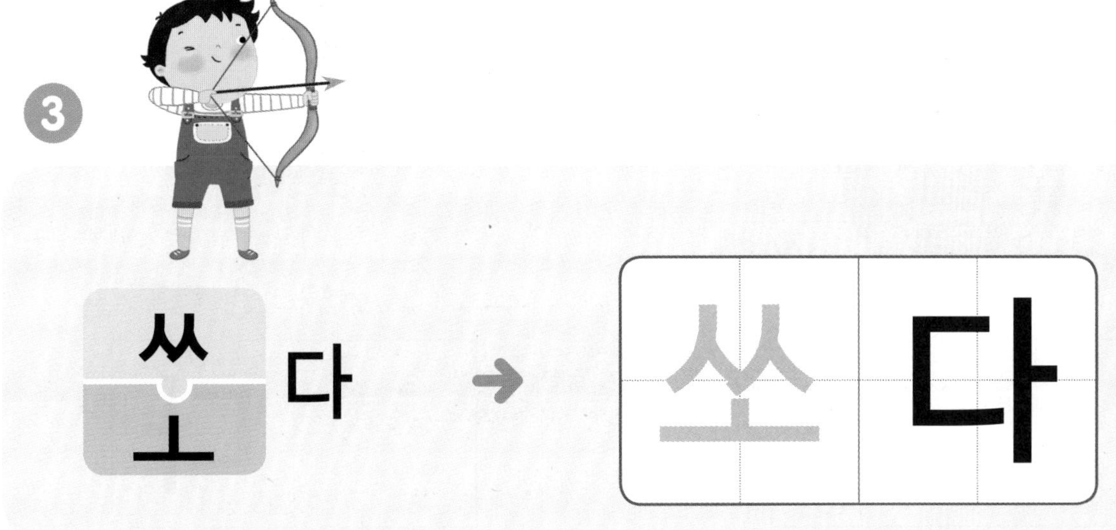

◆ 낱말을 바르게 써 보세요.

❶

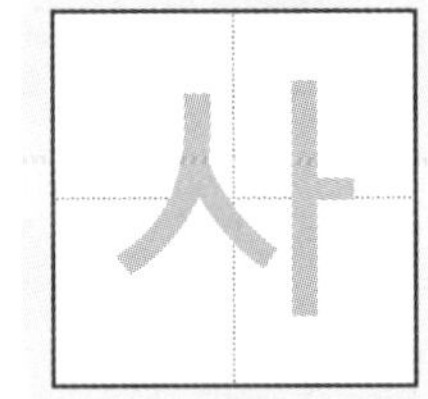


❷

❸

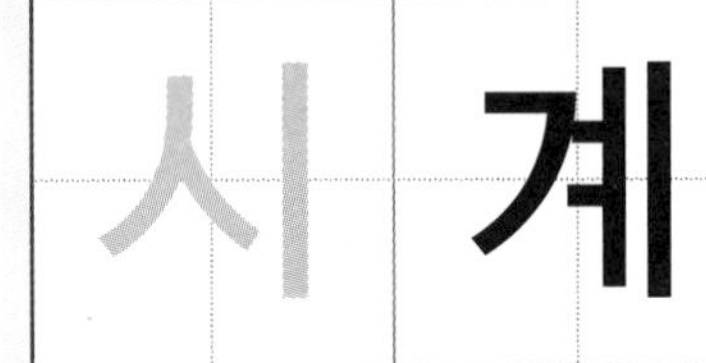


❹

❺

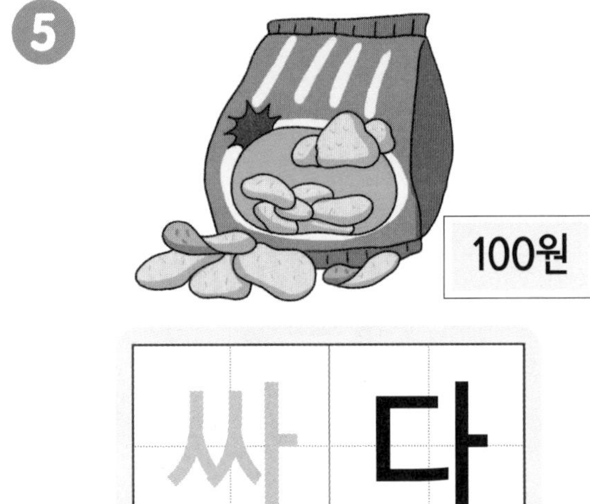


❻

◆ 알맞은 글자에 ○표 하세요.

◆ 다음 빈칸에 들어갈 글자에 색칠하세요.

# 3일 ㅇ + 모음자

빨간색으로 쓴 글자의 짝임을 찾아 붙이세요.

붙임 딱지 4쪽

◆ 글자의 짜임을 생각하며 써 보세요.

❶

아 파트

→ 아 파 트

❷

유 아 차

→ 유 아 차

❸

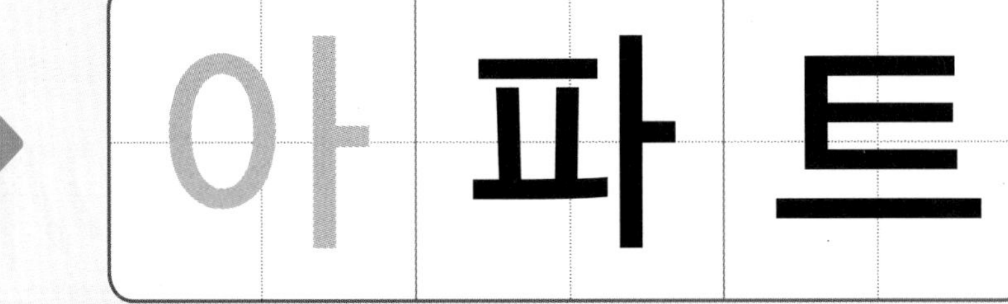

오 토바 이

→ 오 토 바 이

2주

◆ 낱말을 바르게 써 보세요.

◆ 'ㅇ+모음자'가 들어간 낱말을 말한 친구를 2명 찾아서 ○표 하세요.

◆ 보물 상자가 있는 곳까지 가야 해요. 바르게 쓴 낱말에 ○표 하며 길을 그려 보세요.

# 4일 ㅈ, ㅊ, ㅉ + 모음자

빨간색으로 쓴 글자의 짜임을 찾아 붙이세요.

붙임 딱지 4쪽

◆ 글자의 짜임을 생각하며 써 보세요.

1 

ㅈ ㅔ 비 → 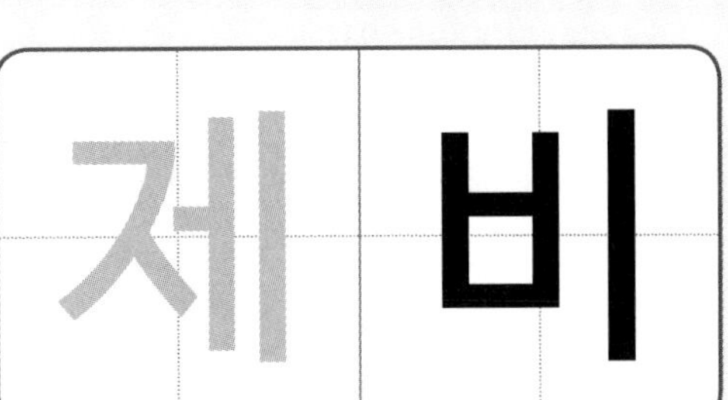


2 

ㅊ ㅏ 다 → 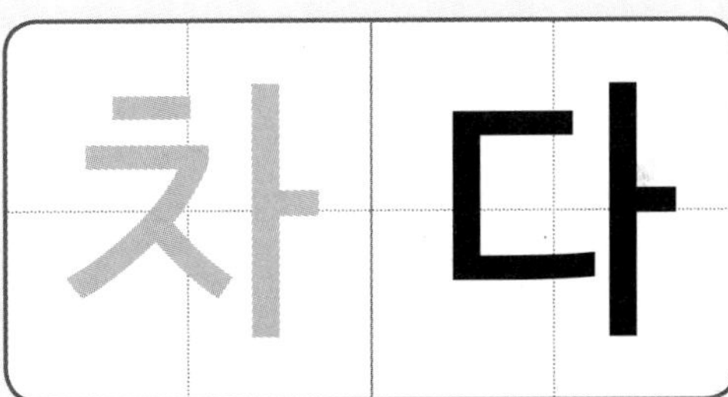


3 

ㅉ ㅏ 다 → 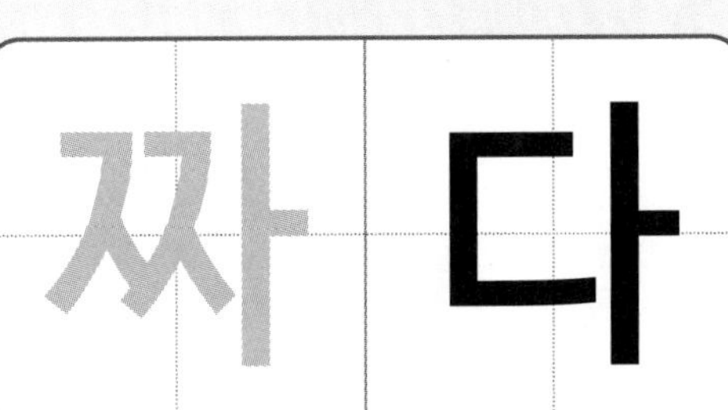

◆ 낱말을 바르게 써 보세요.

◆ 알맞은 글자에 색칠하고, 낱말을 읽어 보세요.

◆ 낱말이 바르게 쓰인 기차의 칸을 3개 찾아서 ○표 하세요.

# 5일 ㅎ + 모음자

빨간색으로 쓴 글자의 짜임을 찾아 붙이세요.

붙임 딱지 4쪽

◆ 글자의 짜임을 생각하며 써 보세요.

❶

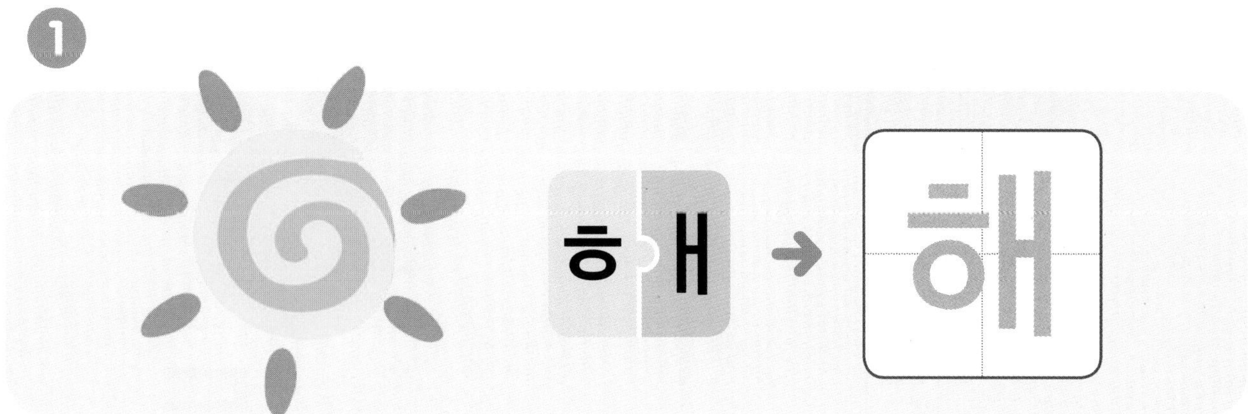


❷

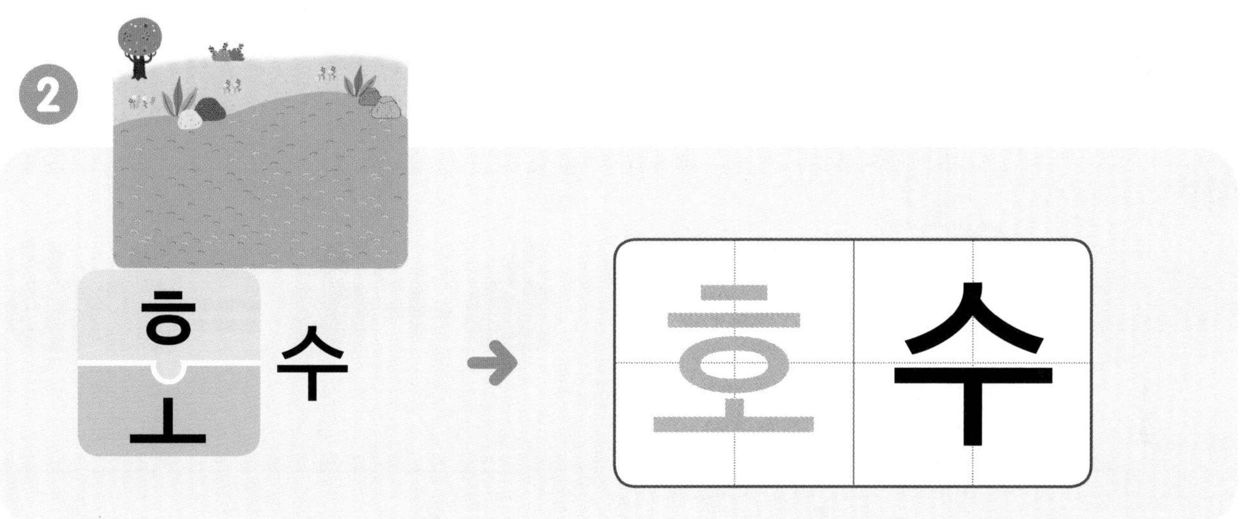


❸

# 5일 ㅎ + 모음자

◆ 낱말을 바르게 써 보세요.

❶

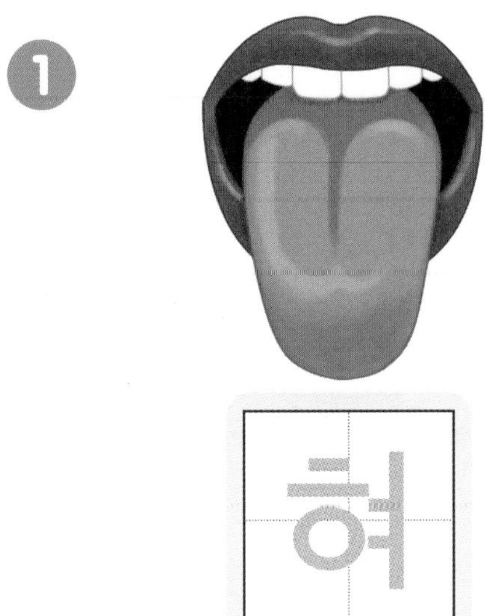

| 혀 |
|---|

❷

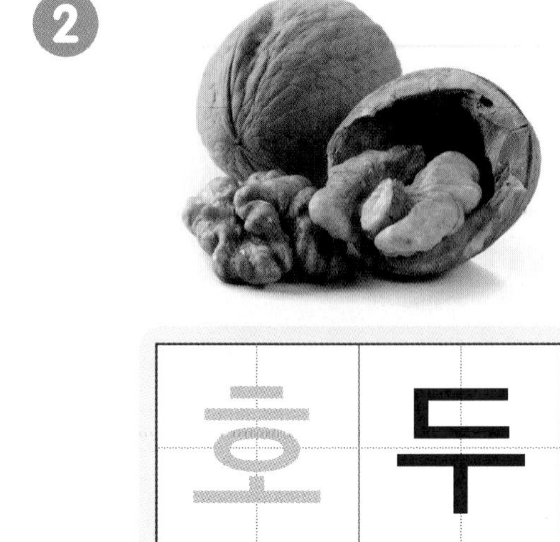

| 호 | 두 |
|---|---|

❸

| 하 | 나 |
|---|---|

❹

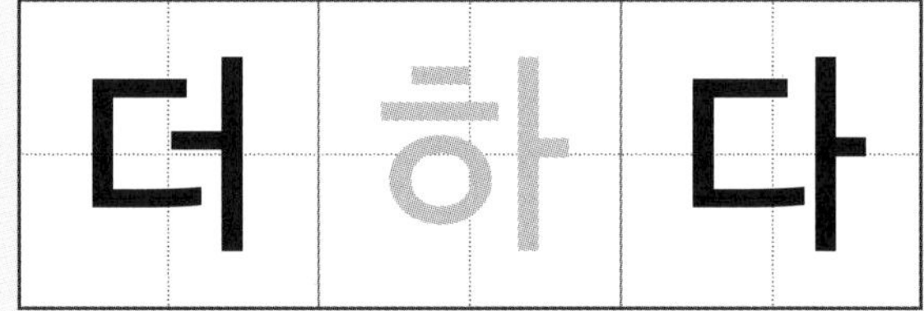

| 더 | 하 | 다 |
|---|---|---|

❺

| 해 | 바 | 라 | 기 |
|---|---|---|---|

◆ 다음 그림이 가리키는 낱말을 바르게 쓴 것에 ○표 하세요.

◆ 빈칸에 들어갈 글자를 보기 에서 찾아 쓰세요.

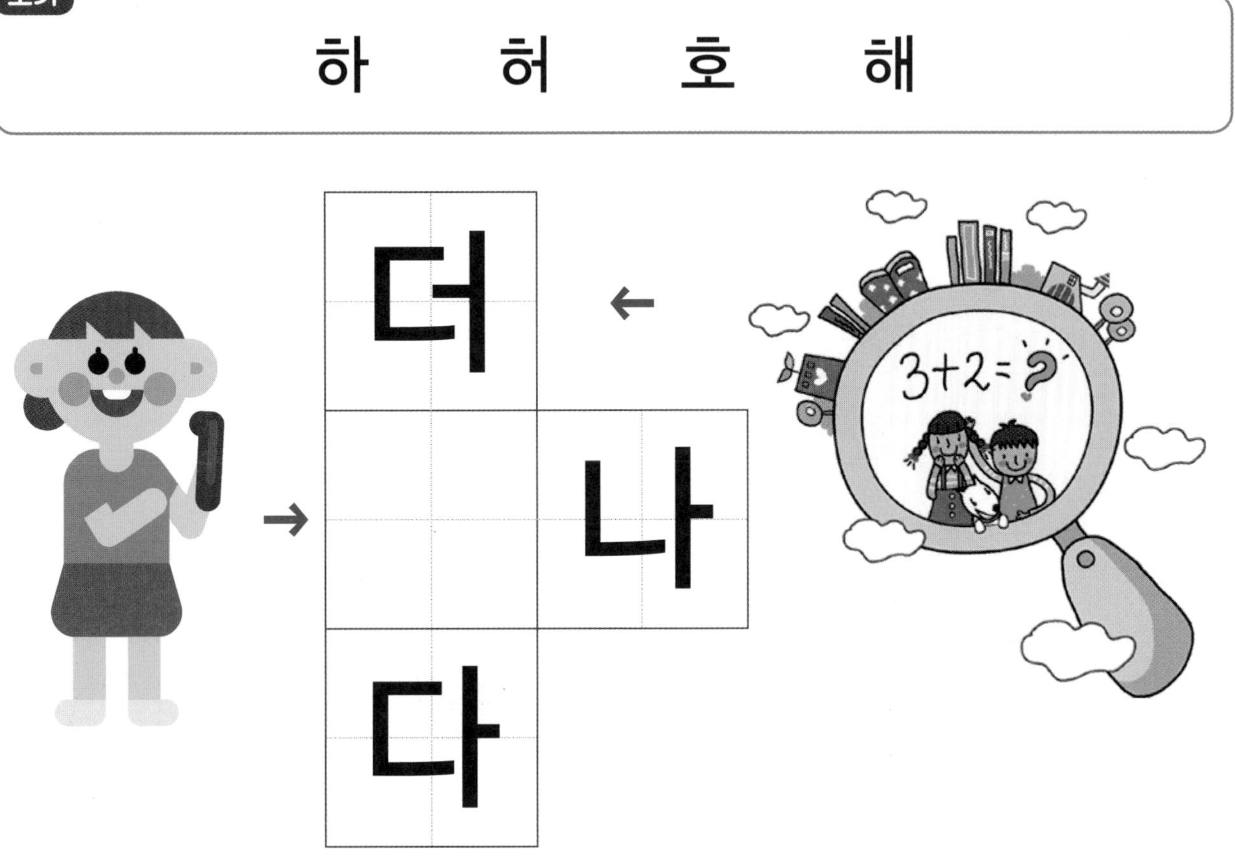

# 누구나 100점 TEST

점수

 다음 그림을 보고 알맞은 모음자를 써넣어 낱말을 완성하세요.

1  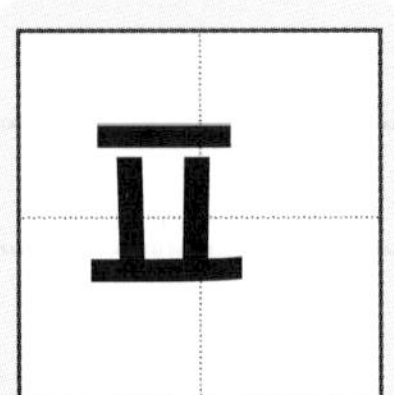


2  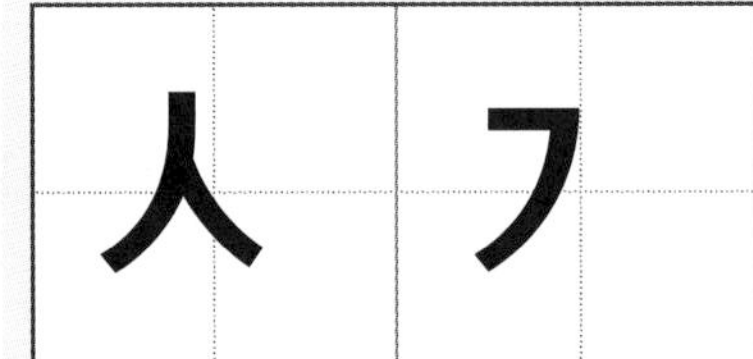


3  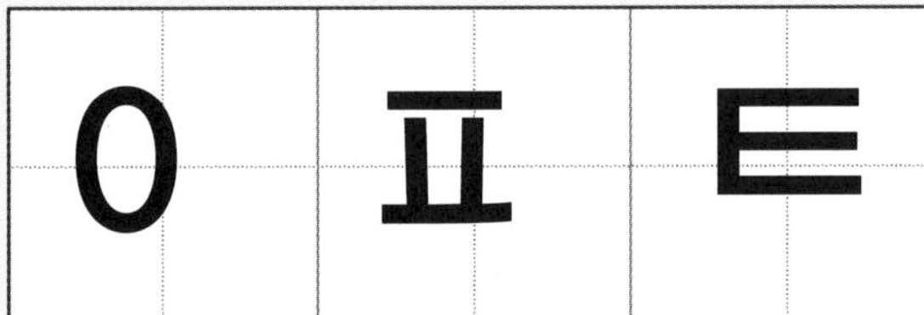


4 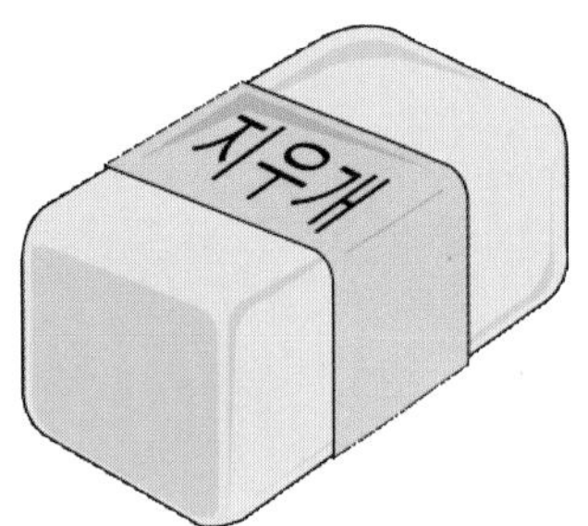

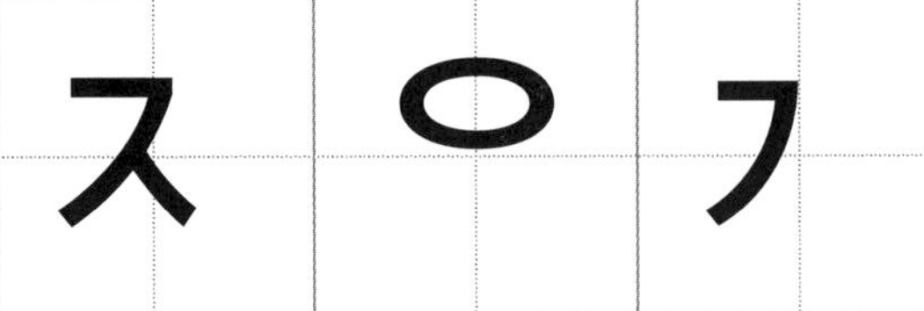


5  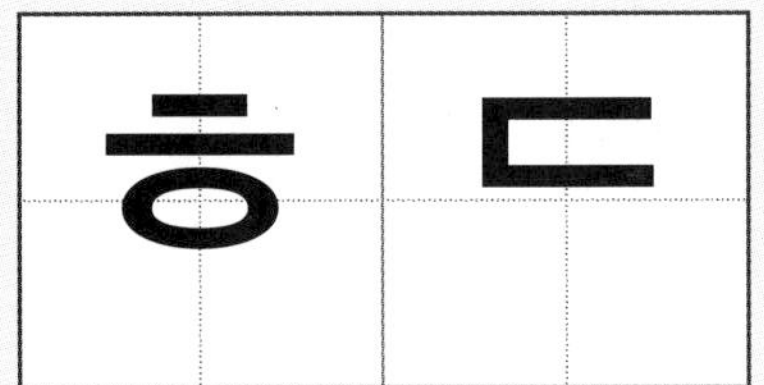

◆ 다음 그림을 보고 바르게 쓴 낱말에 ○표 하고, 따라 쓰세요.

6 

호수 호소

7 

제비 재비

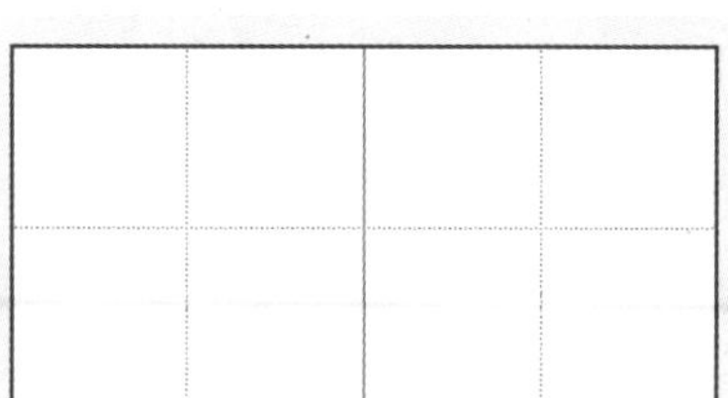



◆ 다음 낱말 중 의 모음자가 들어가지 않은 것에 ✕표 하세요.

8 ㅏ

사 야구 빠르다

9 ㅗ

포도 모자 비누

10 ㅜ

우주 포크 바구니

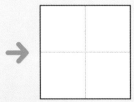

# 어휘력 쑥쑥

다음 표에서 파란색 모음자를 바르게 쓴 칸에 모두 색칠하고, 색칠된 칸은 어떤 모음자가 되는지 쓰세요.

→

◐ 정답과 풀이 15쪽

다음 그림을 보고 모음자를 알맞게 써넣어 낱말을 완성하세요.

창의·융합·코딩 ❷

# 창의력 쑥쑥

빈칸에 들어갈 글자를 보기 에서 찾아 쓰세요.

보기

세 새 버 바 아 오 호 후

| | | | | | |
|---|---|---|---|---|---|
| | | | | 구 | 니 |
| | | | 나 | | |
| 유 | | | 나 | | |
| | 파 | 트 | | | |
| 차 | | | | | 두 |
| | | | | 수 | |

◐ 정답과 풀이 15쪽

사다리를 타고 내려가서 알맞은 낱말에 ○표 하세요.

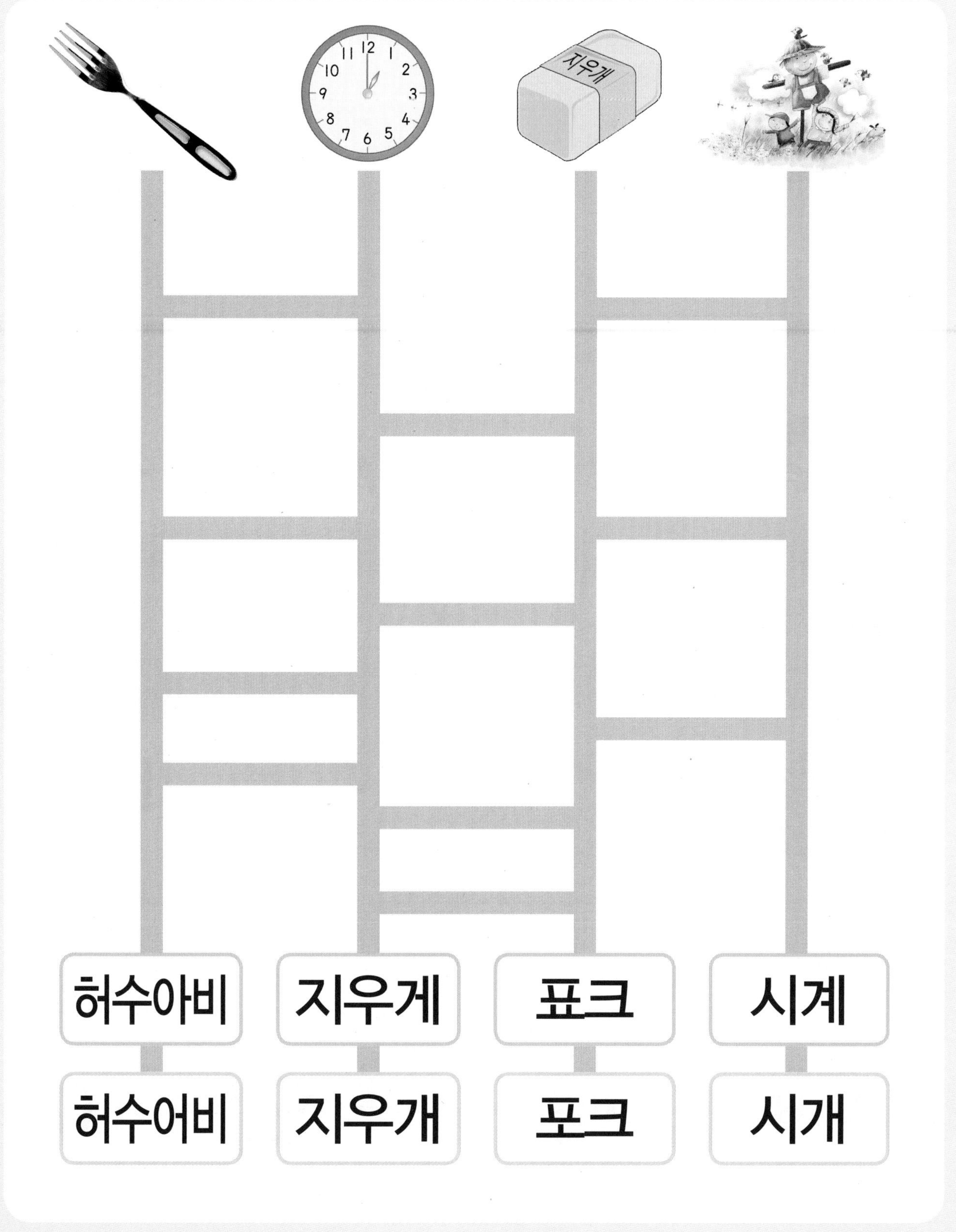


2주

창의·융합·코딩 ③

# 사고력 쑥쑥

📖 그림을 보고 선을 따라가서 빈칸에 알맞은 글자를 써넣으세요.

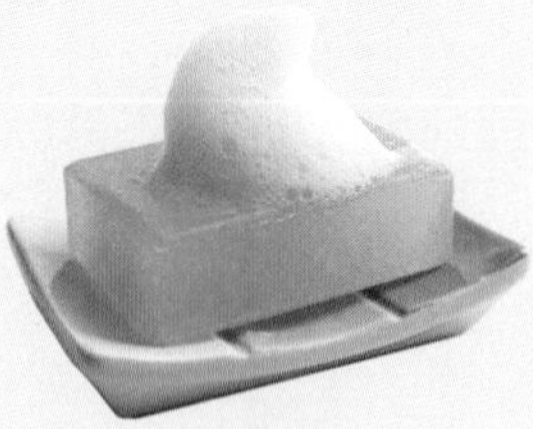

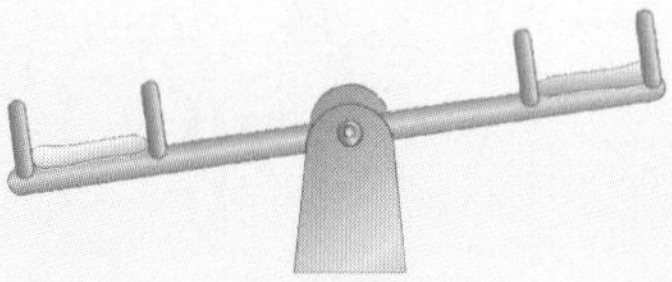

시 ☐

☐ 누

☐ 비

오 ☐ ☐ 이

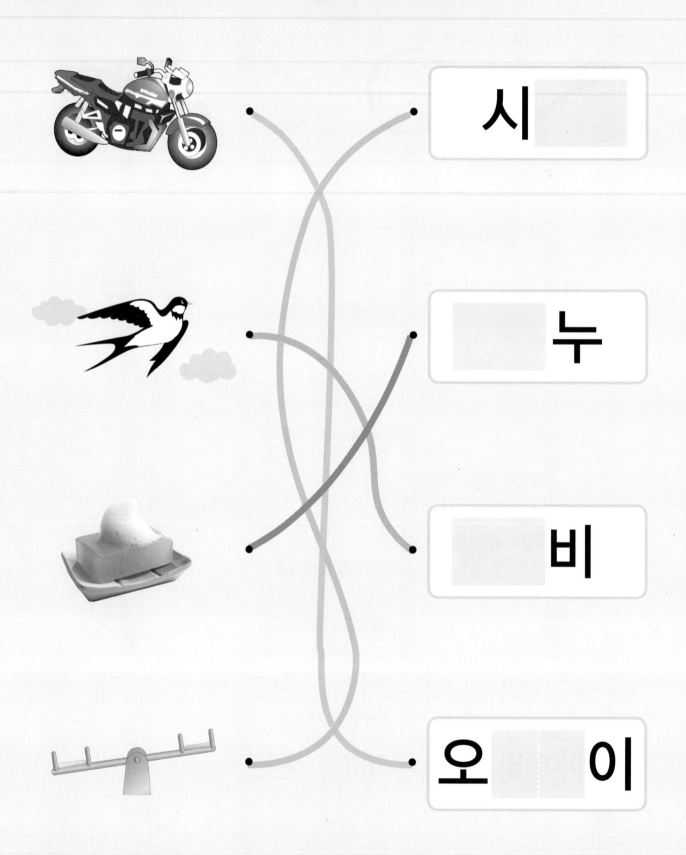

◐ 정답과 풀이 16쪽

보기 처럼 색연필에 있는 글자를 골라서 알맞게 늘어놓아 낱말을 만들어 쓰세요.

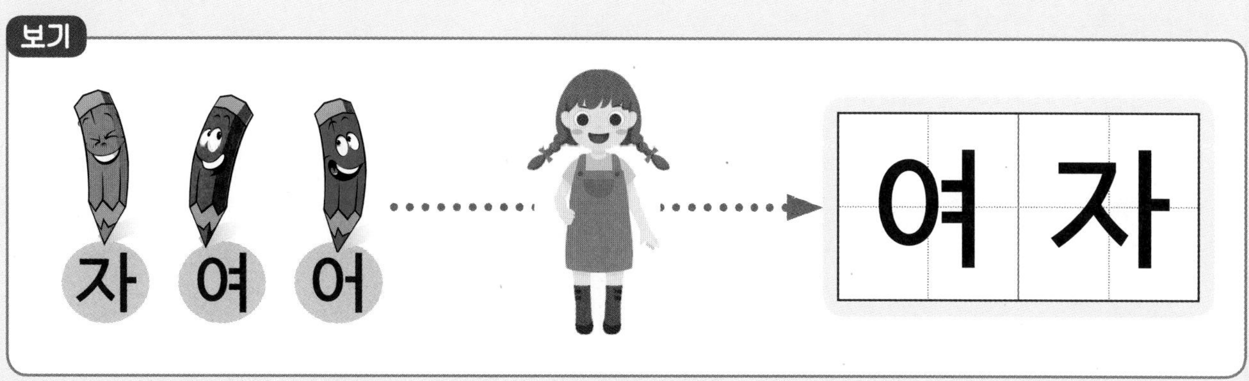


쯔 즈 치

에취!

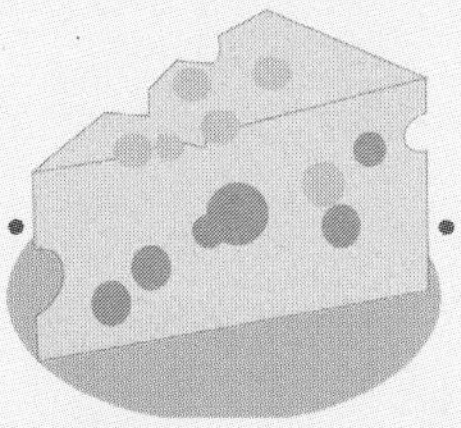

제 재 기 채

기 라 바 해

2주

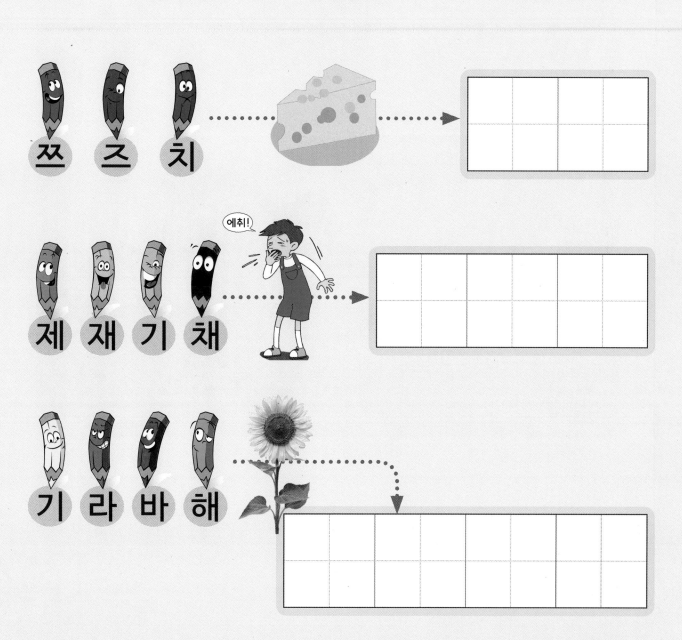

# 3주에는 무엇을 공부할까? ❶

## 받침이 있는 낱말

### 1일 받침 ㄱ, ㄴ

아기 돼지 **가족**이
집을 지어요.

### 2일 받침 ㄷ, ㄹ, ㅁ

늑대가 나타나 **구름** 아래에서
바람을 불어요.

3일 받침 ㅂ, ㅅ, ㅇ
늑대가 버섯 옆에서
바람을 불어요.

4일 받침 ㅈ, ㅊ, ㅋ
늑대가 꽃 옆에서
바람을 불지만 끄떡없어요.

5일 받침 ㅌ, ㅍ, ㅎ
아기 돼지 삼 형제가
숲속에서 사이좋게 살아요.

# 3주에는 무엇을 공부할까? ❷

## 받침이 있는 낱말

✪ 붙임 딱지에서 알맞은 글자를 찾아 받침이 있는 글자를 만들어 보세요.

❶

❷

3

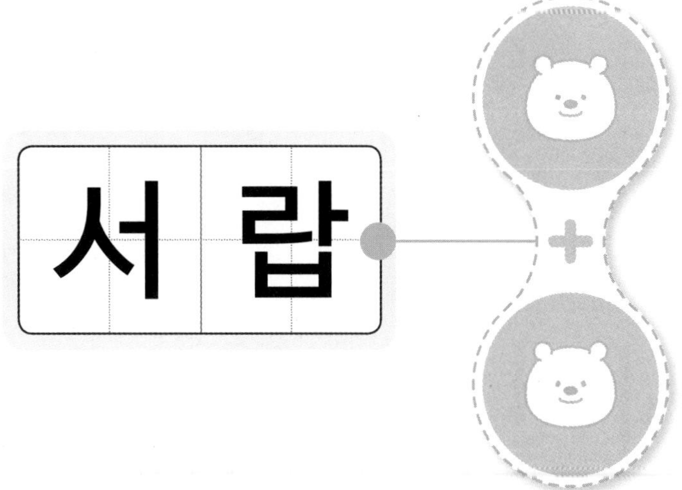

4

# 1일 받침 ㄱ, ㄴ

빨간색으로 쓴 글자의 짜임을 찾아 붙이세요.

◆ 글자의 짜임을 생각하며 받침 ㄱ, ㄴ을 써 보세요.

❶

→ 책

❷

가 

→ 가 족

❸

사 

→ 사 진

# 받침 ㄱ, ㄴ

◆ 받침 ㄱ과 ㄴ을 바르게 써 보세요.

1

축 구

2

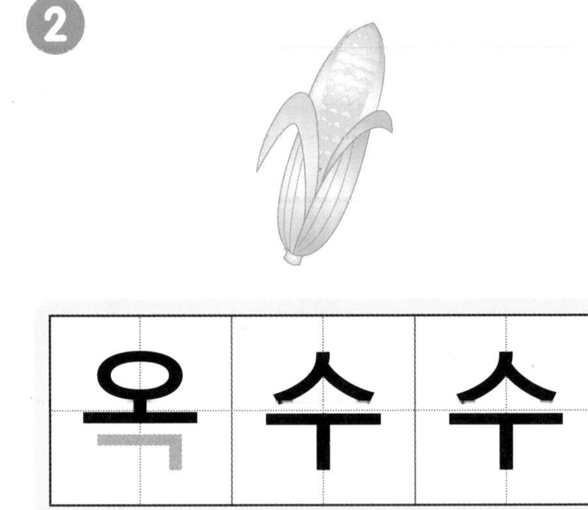

옥 수 수

3

거 북

4

친 구

5

편 지

6

기 린

◆ 그림을 보고, 빈칸에 알맞은 받침을 이으세요.

3주

◆ 받침 ㄴ이 들어간 낱말이 있는 동물 2마리를 찾아 ○표 하세요.

2일
반칭 ㄷ, ㄹ, ㅁ
빨간색으로 쓴 글자의 짜임을 찾아 붙이세요.
붙임 딱지 6쪽
구름
놀이터
돋보기

◆ 글자의 짜임을 생각하며 받침 ㄷ, ㄹ, ㅁ을 써 보세요.

# 2일 받침 ㄷ, ㄹ, ㅁ

◆ 받침 ㄷ, ㄹ, ㅁ을 바르게 써 보세요.

❶

| 숟 | 가 | 락 |
|---|---|---|

❷

| 턱 | 받 | 이 |
|---|---|---|

❸

| 물 | 고 | 기 |
|---|---|---|

❹

| 딸 | 기 |
|---|---|

❺

| 그 | 림 |
|---|---|

❻

| 침 | 대 |
|---|---|

◆ 그림에 알맞은 낱말을 찾아 ○표 하세요.

딴기　　땅기　　딸기

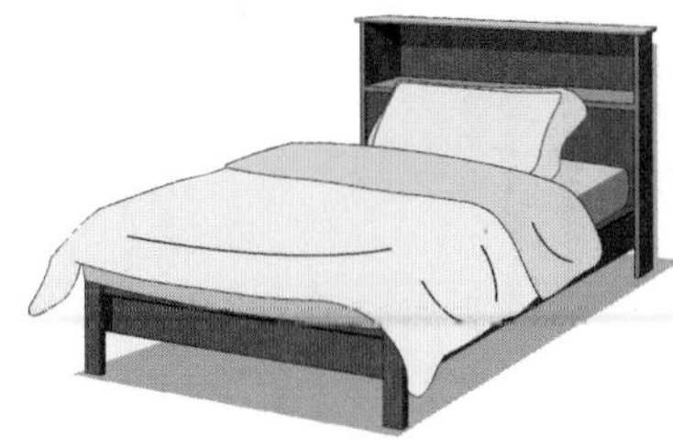

칩대　　침대　　친대

3주

◆ 받침 ㄷ이 들어간 낱말이 있는 동물을 찾아 ○표 하세요.

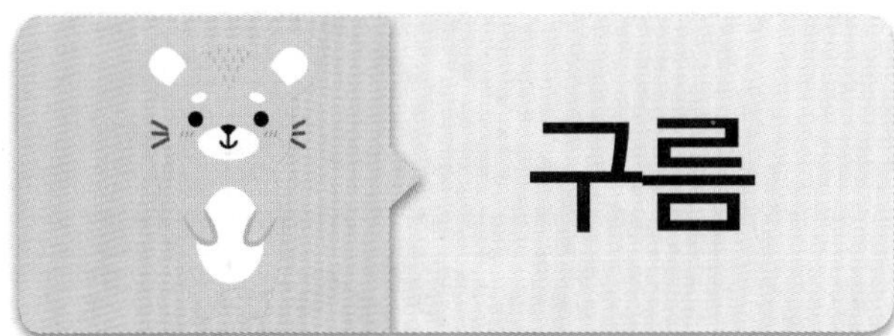

# 3일 받침 ㅂ, ㅅ, ㅇ

빨간색으로 쓴 글자의 짜임을 찾아 붙이세요.

◆ 글자의 짜임을 생각하며 받침 ㅂ, ㅅ, ㅇ을 써 보세요.

❶

서 ㄹ ㅏ ㅂ → 서랍

❷

ㅇ ㅗ ㅅ → 옷

❸

가 ㅂ ㅏ ㅇ → 가방

## 3일 받침 ㅂ, ㅅ, ㅇ

◆ 받침 ㅂ, ㅅ, ㅇ을 바르게 써 보세요.

◆ 그림에 알맞은 낱말을 선으로 이으세요.

• • 로봇

• • 강아지



◆ 받침이 바르게 쓰인 낱말에 ○표 하고, 길을 그려 주세요.

# 4일 받침 ㅈ, ㅊ, ㅋ

빨간색으로 쓴 글자의 짜임을 찾아 붙이세요.

붙임 딱지 6쪽

◆ 글자의 짜임을 생각하며 받침 ㅈ, ㅊ, ㅋ을 써 보세요.

❶

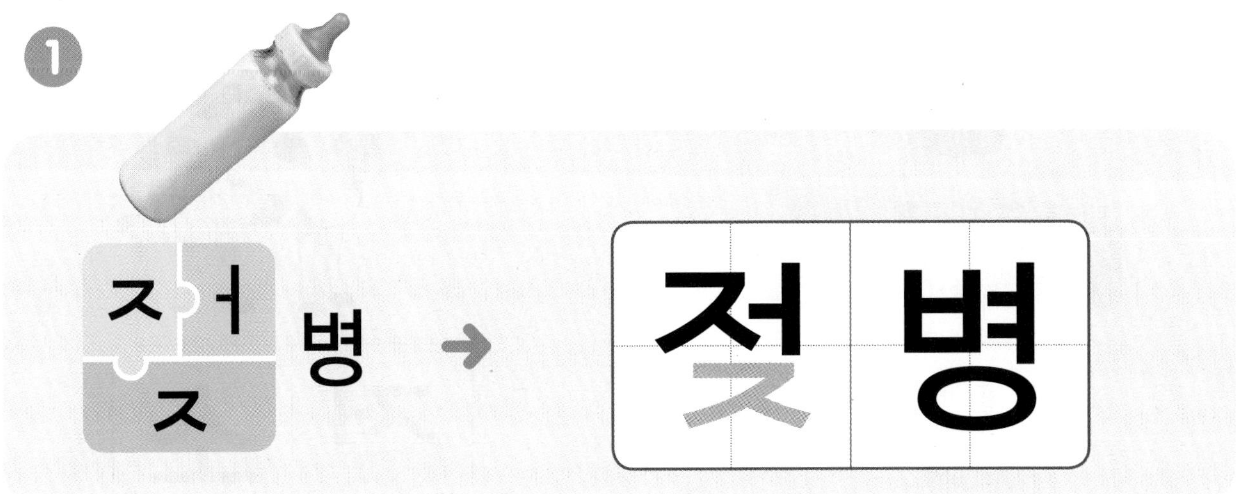


❷

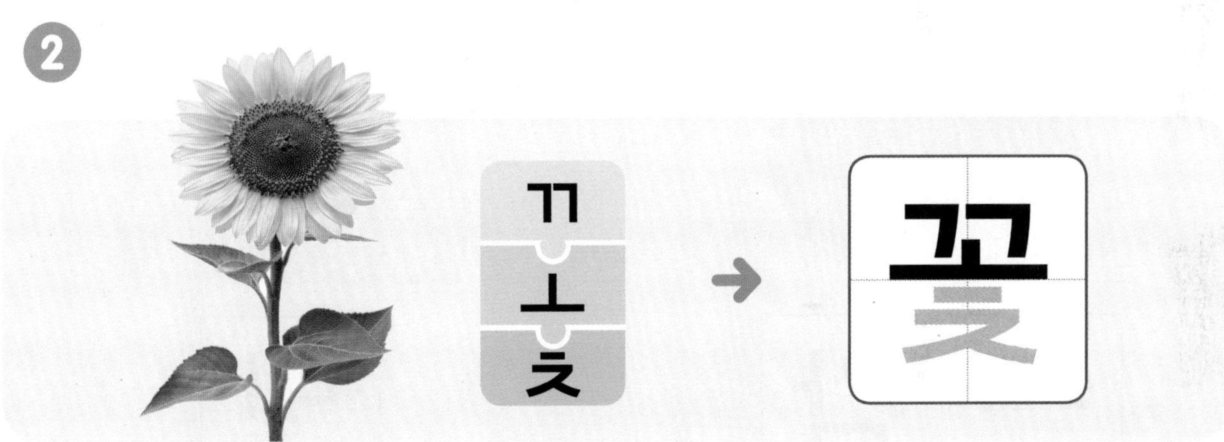


❸

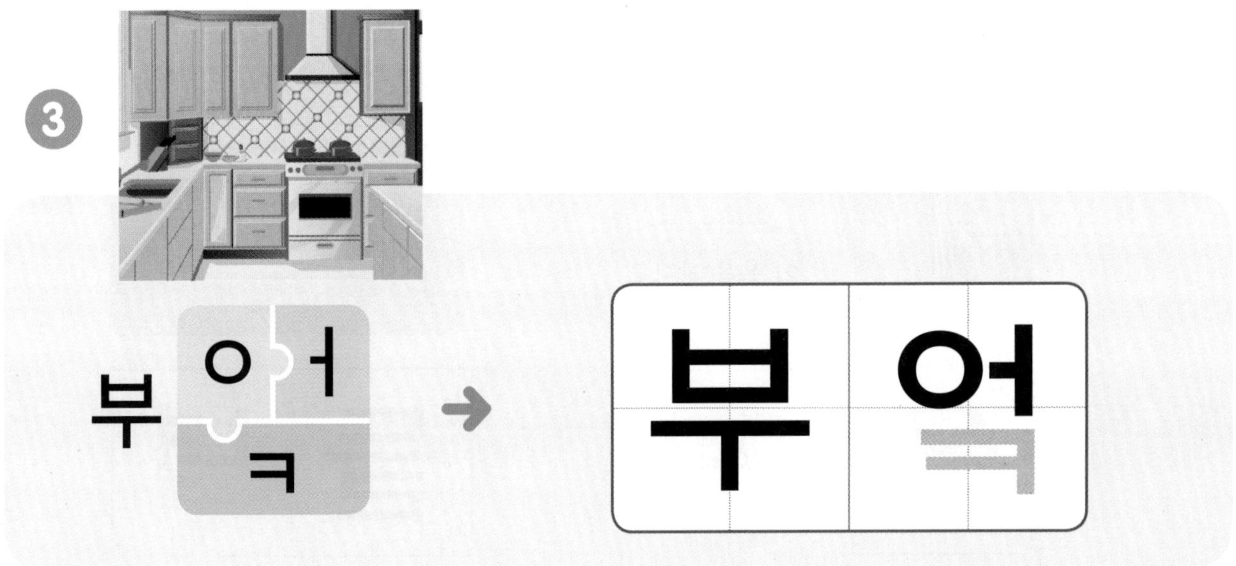

◆ 받침 ㅈ, ㅊ, ㅋ을 바르게 써 보세요.

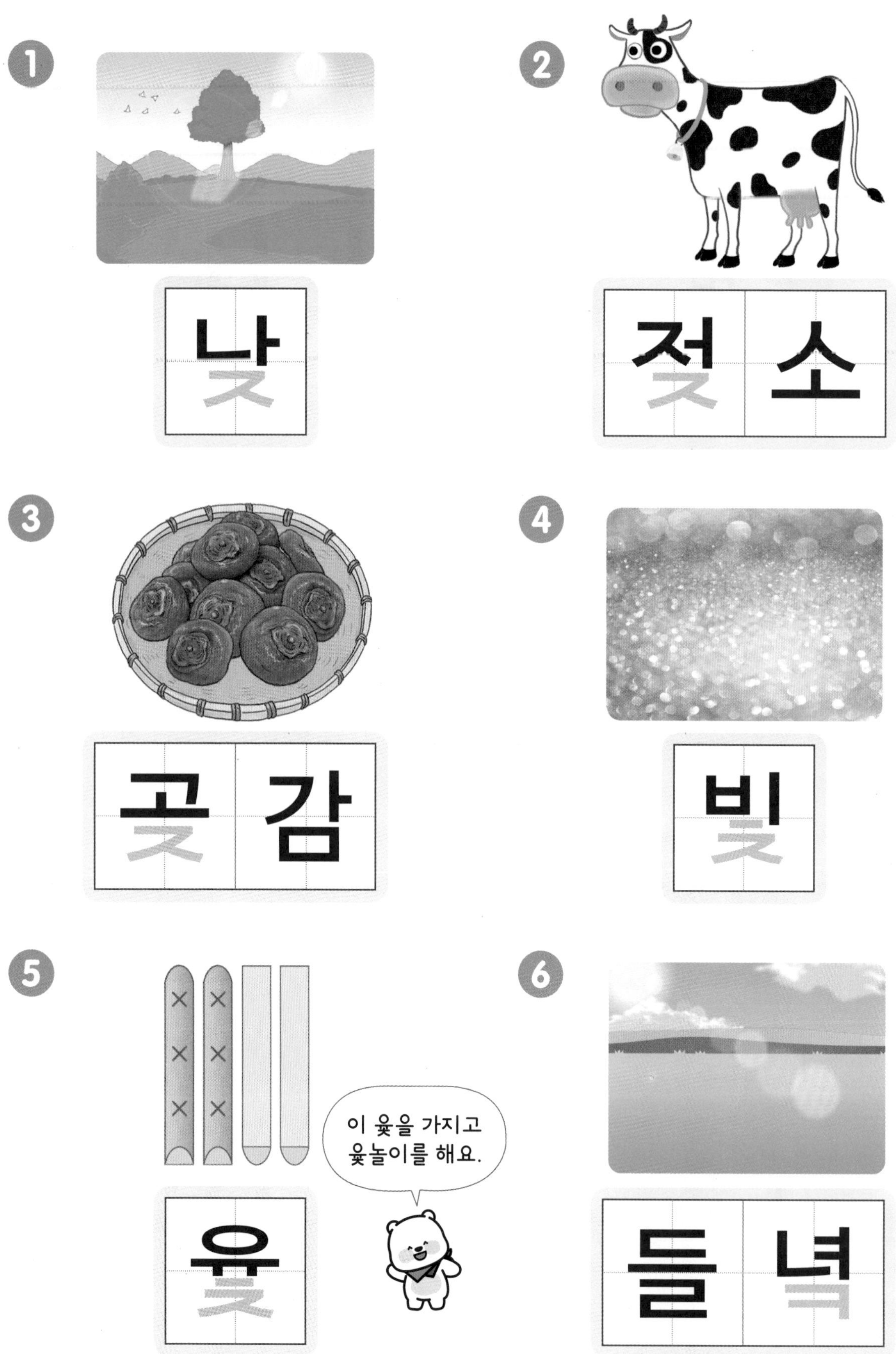

◆ 다음 받침이 들어간 낱말의 그림을 선으로 이으세요.

3주

◆ 사다리를 타고 내려가 낱말의 잘못된 받침을 바르게 고쳐 쓰세요.

# 5일 받침 ㅌ, ㅍ, ㅎ

빨간색으로 쓴 글자의 짜임을 찾아 붙이세요.

붙임 딱지 6쪽

◆ 글자의 짜임을 생각하며 받침 ㅌ, ㅍ, ㅎ을 써 보세요.

❶

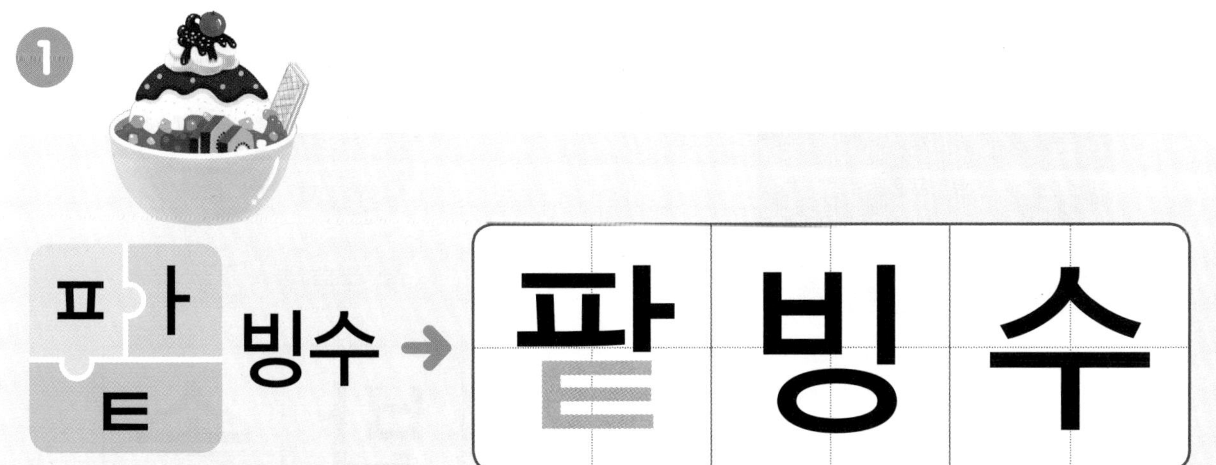


❷

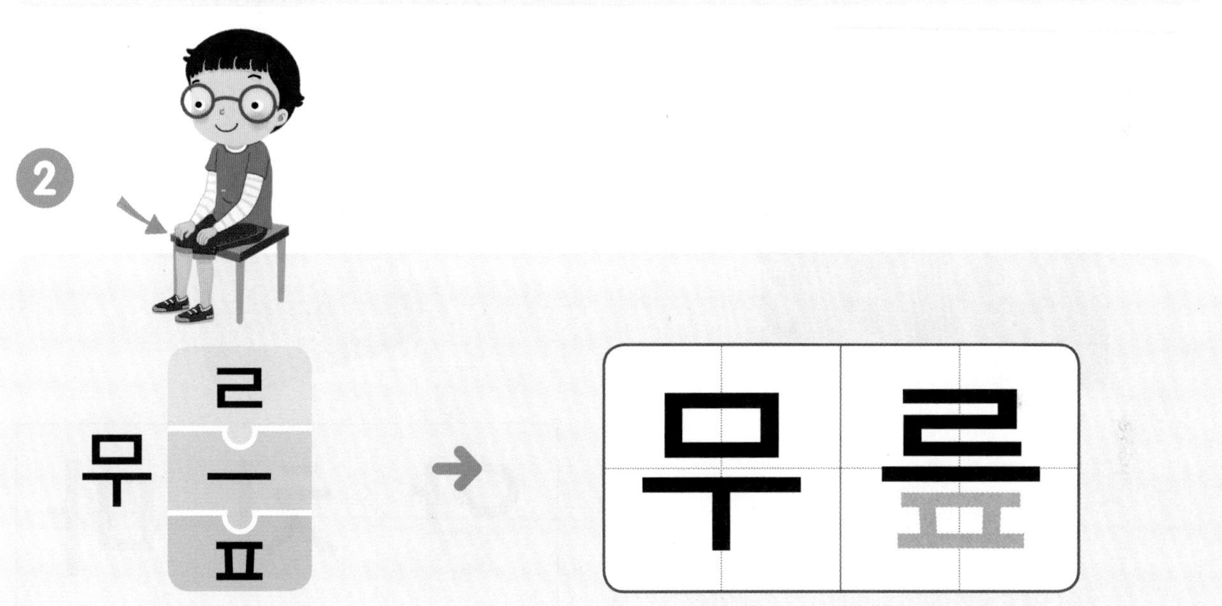


❸

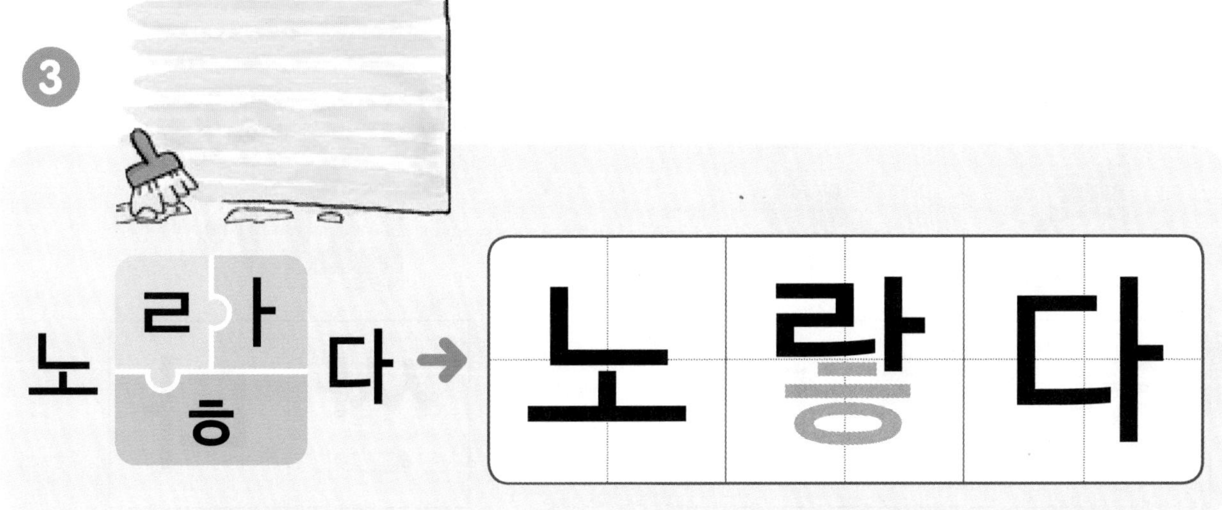

## 5일 받침 ㅌ, ㅍ, ㅎ

◆ 받침 ㅌ, ㅍ, ㅎ을 바르게 써 보세요.

◆ 그림에 알맞은 낱말을 찾아 ○표 하세요.

밭 무릎 밥솥

쌓다 하얗다 숲

◆ 식빵에 쓰인 글자를 알맞게 늘어놓아 낱말 2개를 만들어 쓰세요.

❶

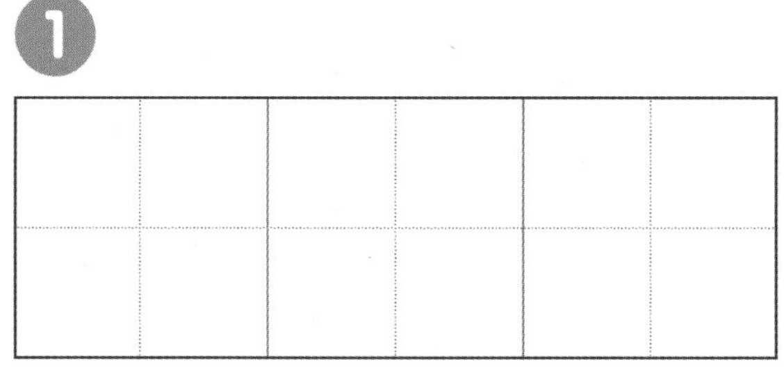

❷

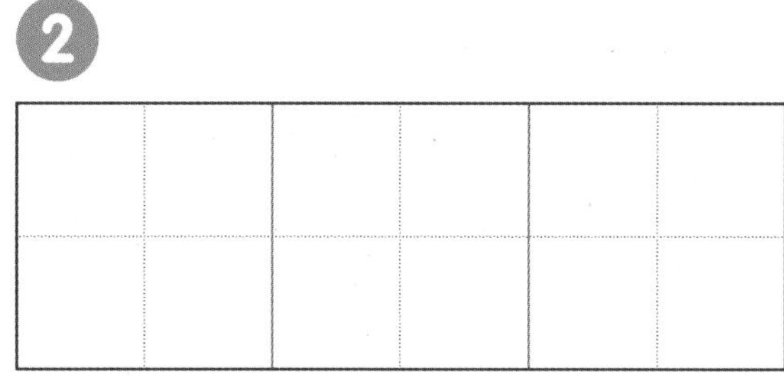

# 3주 누구나 100점 TEST

점수

◆ 다음 그림을 보고 알맞은 받침을 써넣어 낱말을 완성하세요.

1 

| 가 | 조 |
|---|---|

2 

| 구 | 르 |
|---|---|

3 

| 로 | 보 |
|---|---|

4 

| 가 | 아 | 지 |
|---|---|---|

5 

| 파 | 빙 | 수 |
|---|---|---|

◆ 다음 낱말에 모두 쓰인 받침에 ○표 하세요.

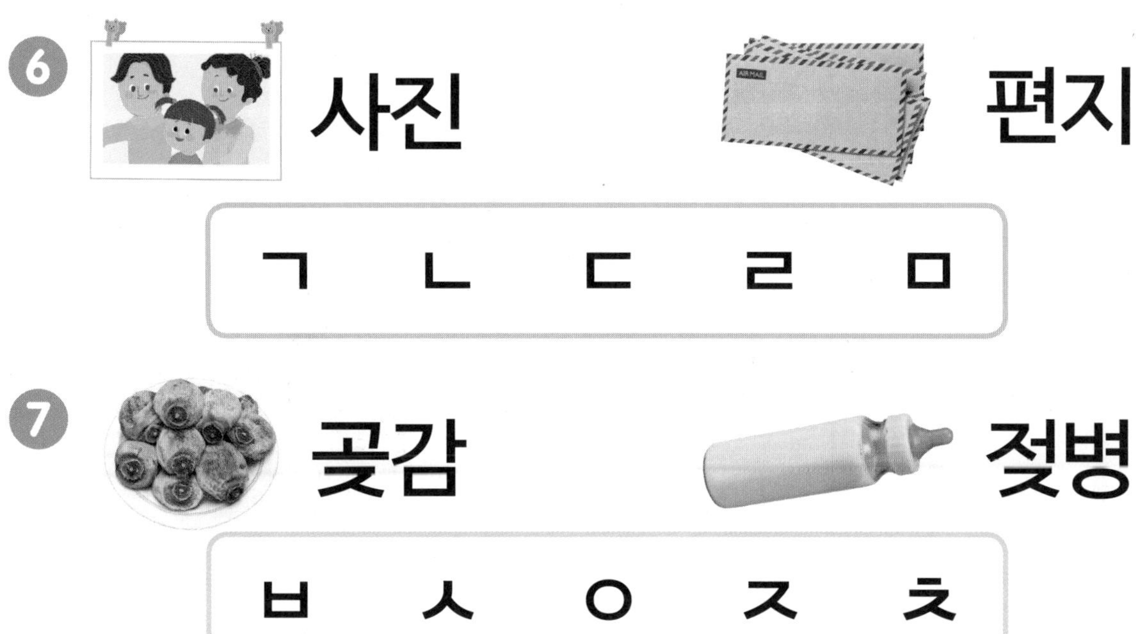

6 사진 편지

ㄱ ㄴ ㄷ ㄹ ㅁ

7 곶감 젖병

ㅂ ㅅ ㅇ ㅈ ㅊ



◆ 다음 에 모두 들어갈 받침을 쓰세요.

8 기리 치구

9 따기 무고기

10 가바 비해기

창의·융합·코딩 ①

# 어휘력 쑥쑥

다음 글자에 어떤 받침을 붙이면 그림의 낱말이 만들어지는지 써넣으세요.

가 +

감

강

갓

'갓'은 예전에 어른이 된 남자가 머리에 쓰던 것이에요.

사 +

산

삼

상

'상'은 잘했을 때 받는 것이에요.

◐ 정답과 풀이 23쪽

다음 낱말의 규칙을 찾아 빈칸에 알맞은 받침을 써넣으세요.

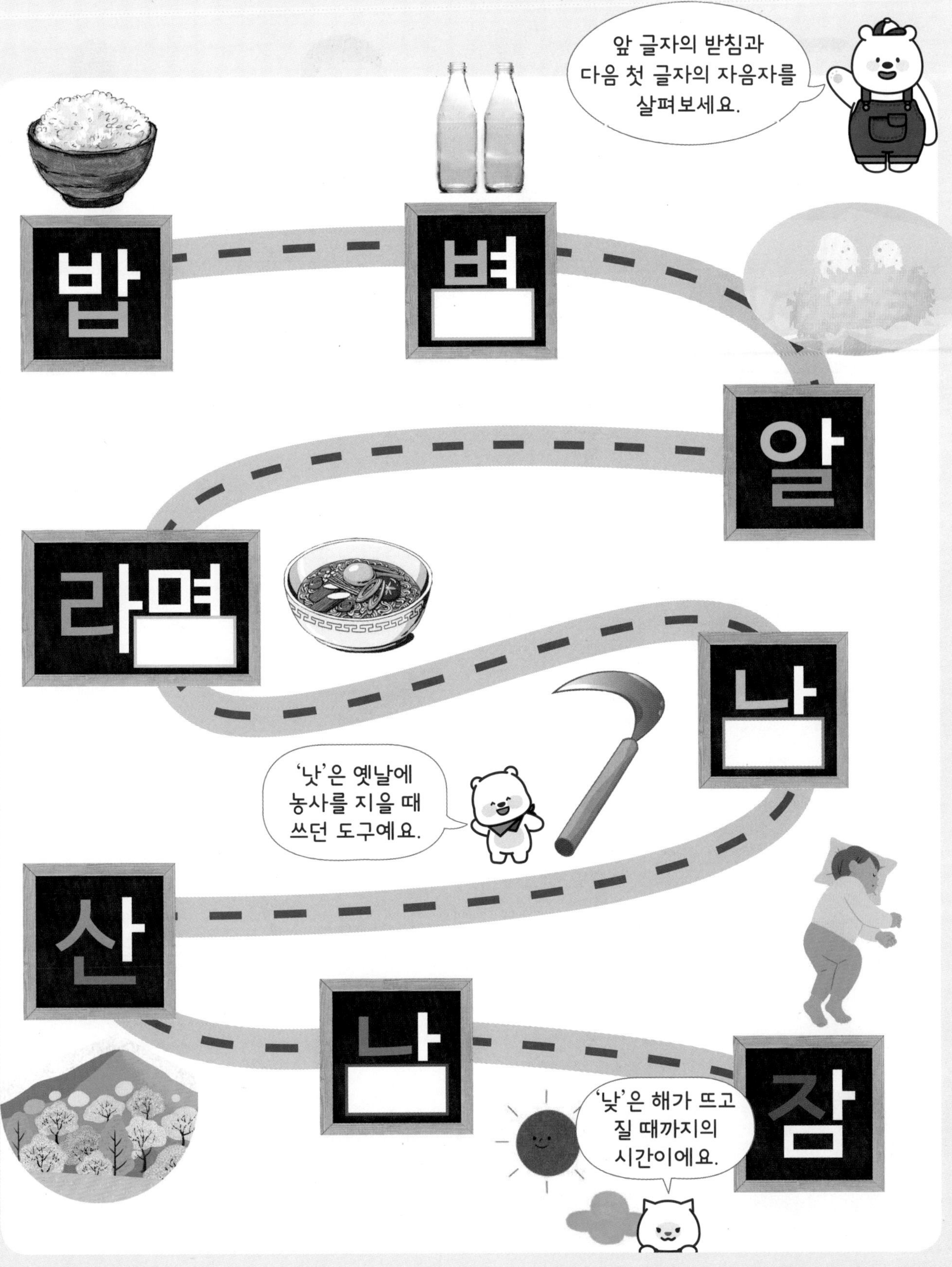
앞 글자의 받침과
다음 첫 글자의 자음자를
살펴보세요.
밥
벼
알
라며
나
'낫'은 옛날에
농사를 지을 때
쓰던 도구예요.
산
나
잠
'낮'은 해가 뜨고
질 때까지의
시간이에요.

3주

창의·융합·코딩 ❷

# 창의력 쑥쑥

📖 다음 그림을 보고 선을 따라가서 알맞은 빈칸에 받침을 써넣으세요.

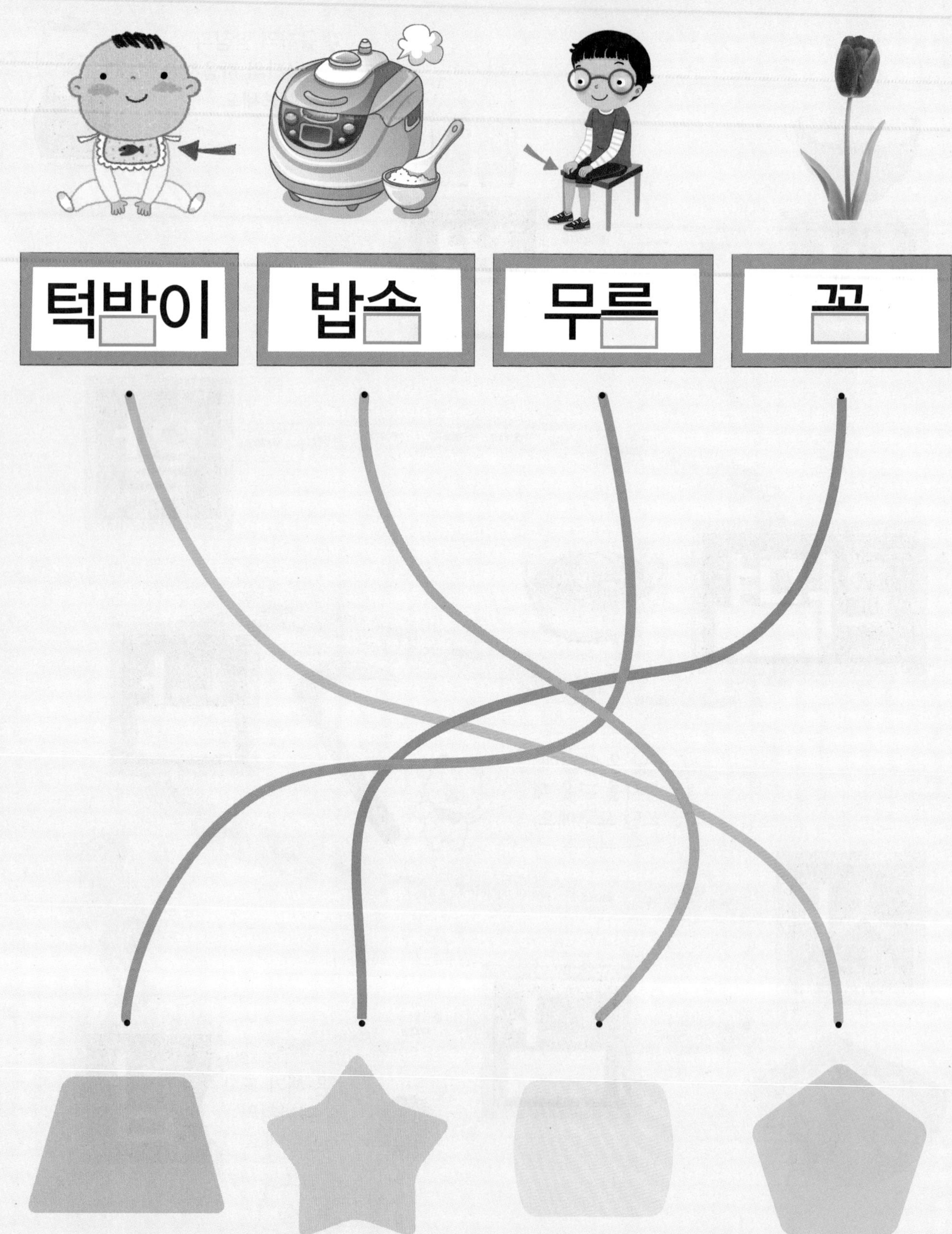

◐ 정답과 풀이 23쪽

📖 낱말이 바르게 쓰인 칸을 색칠해 보세요. 모두 색칠하면 어떤 자음자가 나오는지 ○표 하세요.

| | | |
|---|---|---|
|  책 |  물고기 | 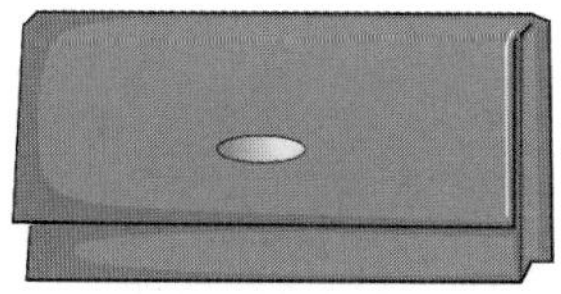 지갑 |
|  딸기 |  압치마 |  곶감 |
|  강아지 |  젖소 |  팥빙수 |
|  로봇 | 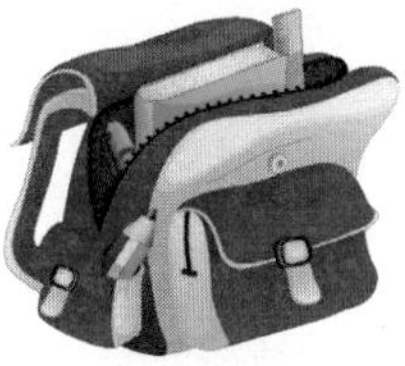 게방 |  가린 |

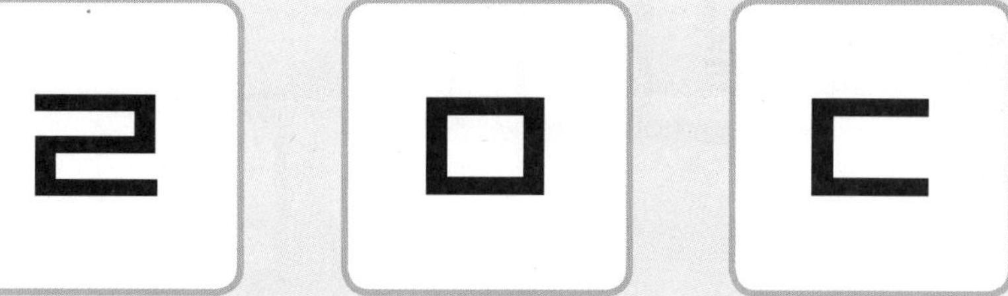


3주

창의·융합·코딩 ③

# 사고력 쑥쑥

보기 와 같이 다음 안에 알맞은 받침을 쓰세요.

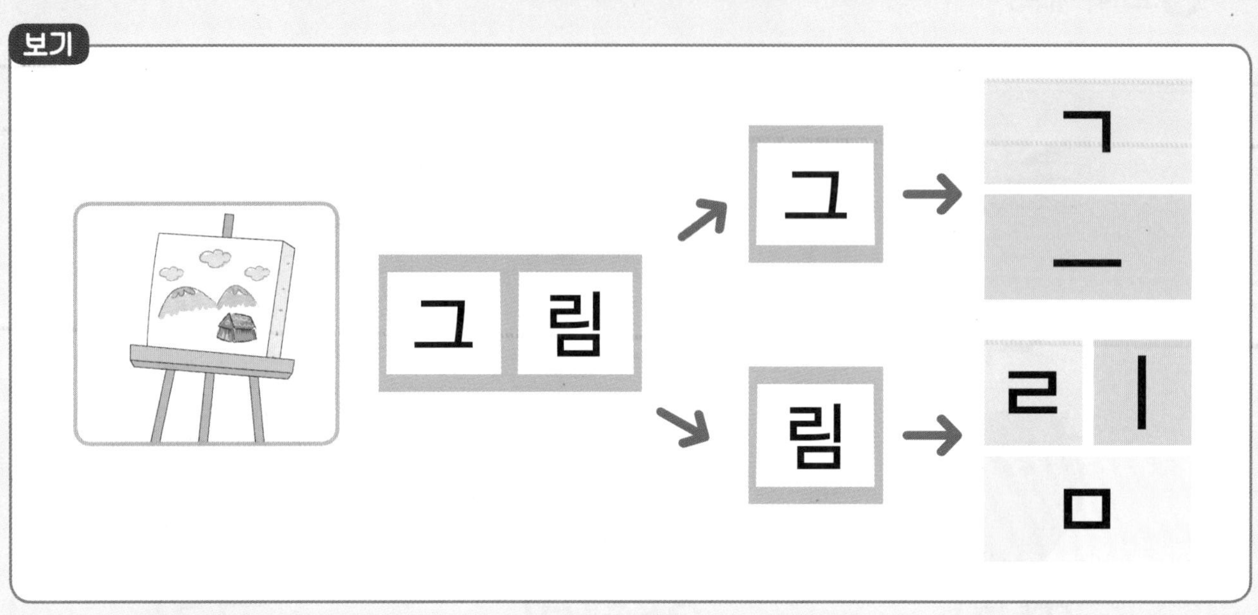


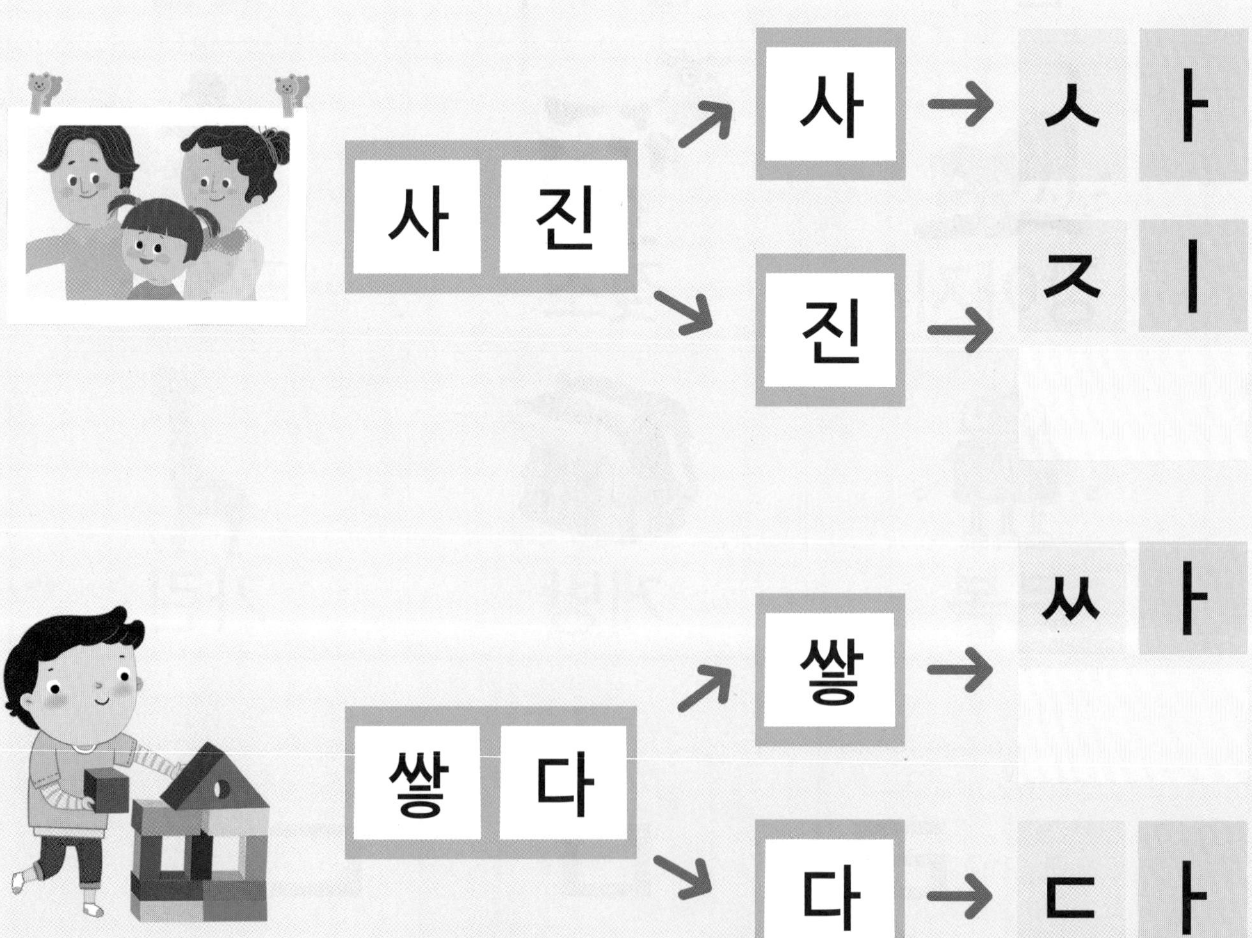

◐ 정답과 풀이 24쪽

그림을 보고 사다리를 타고 내려가 빈칸에 알맞은 글자를 써넣으세요.

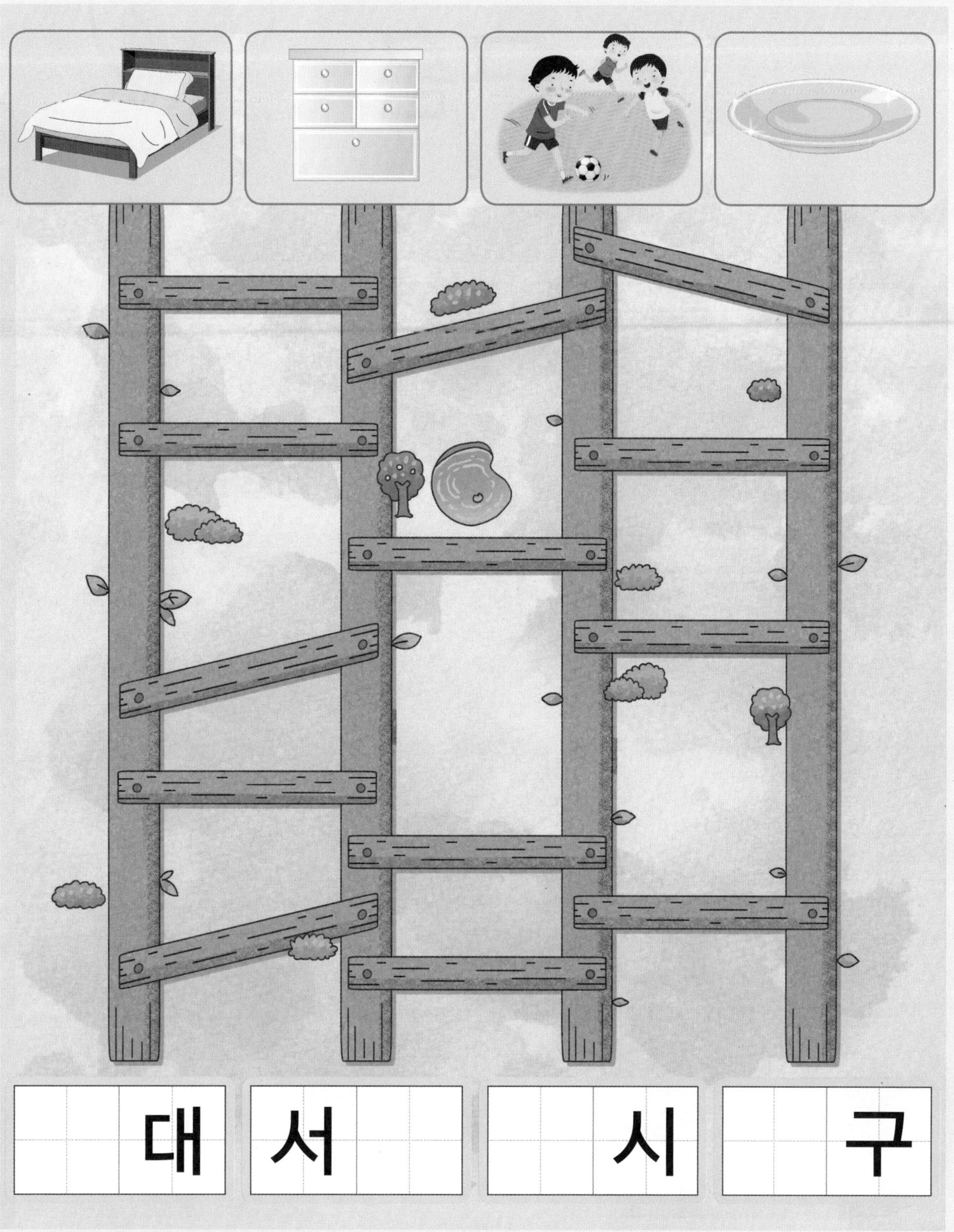

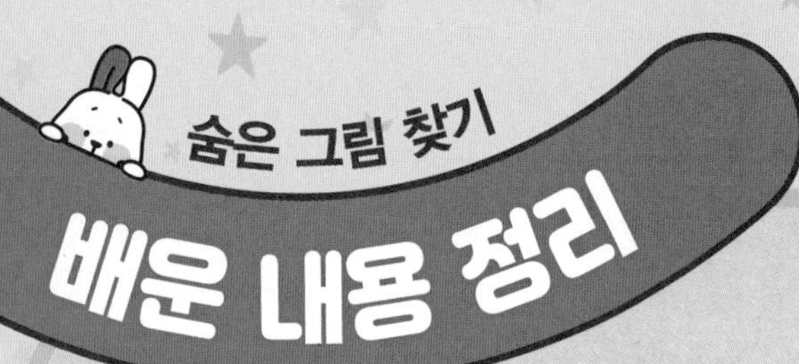


◆ 그림에 숨어 있는 받침을 모두 찾아 ○표 하세요.

구름

물고기

돋보기

◐ 정답과 풀이 25쪽

신경향·신유형

# 재미있는 한글 퀴즈

◆ 길을 따라 선을 이어 보세요. 순서대로 나온 자음자와 모음자를 합쳐 낱말을 써 보세요.

◆ 보기 처럼 자음자와 모음자를 써넣어 낱말을 만들어 보세요.

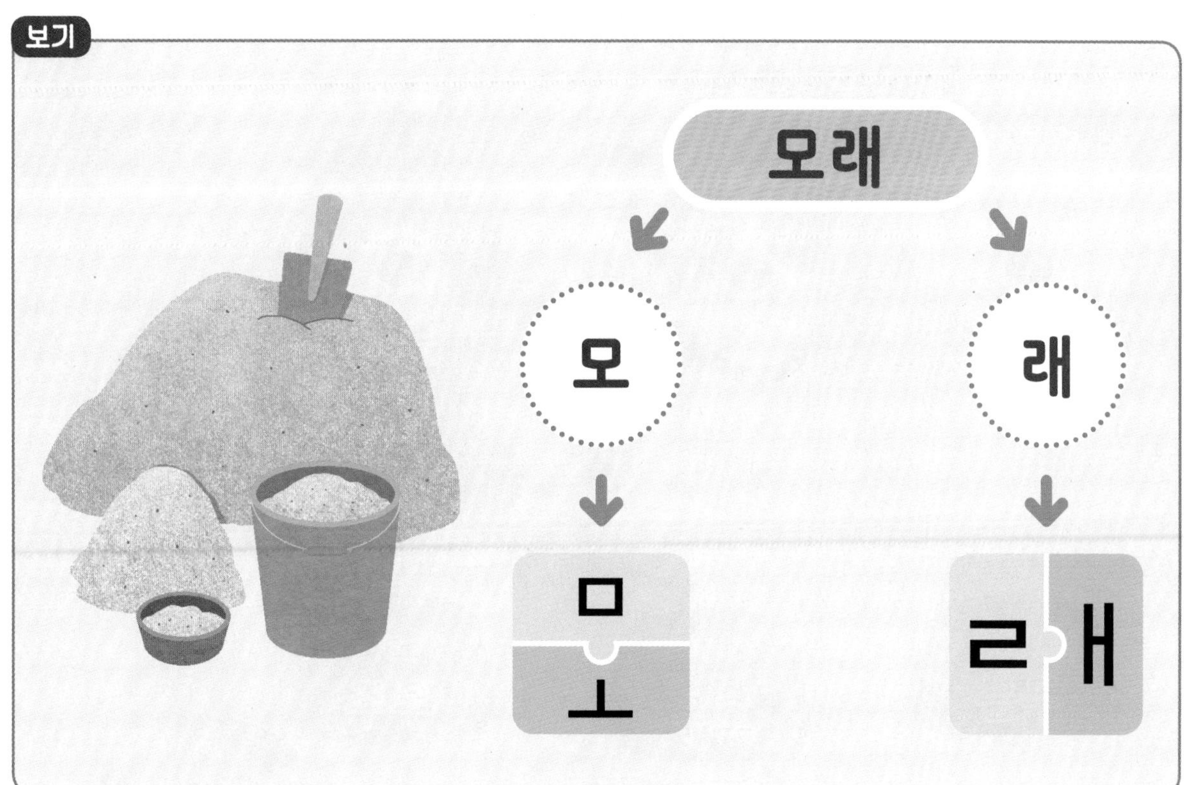


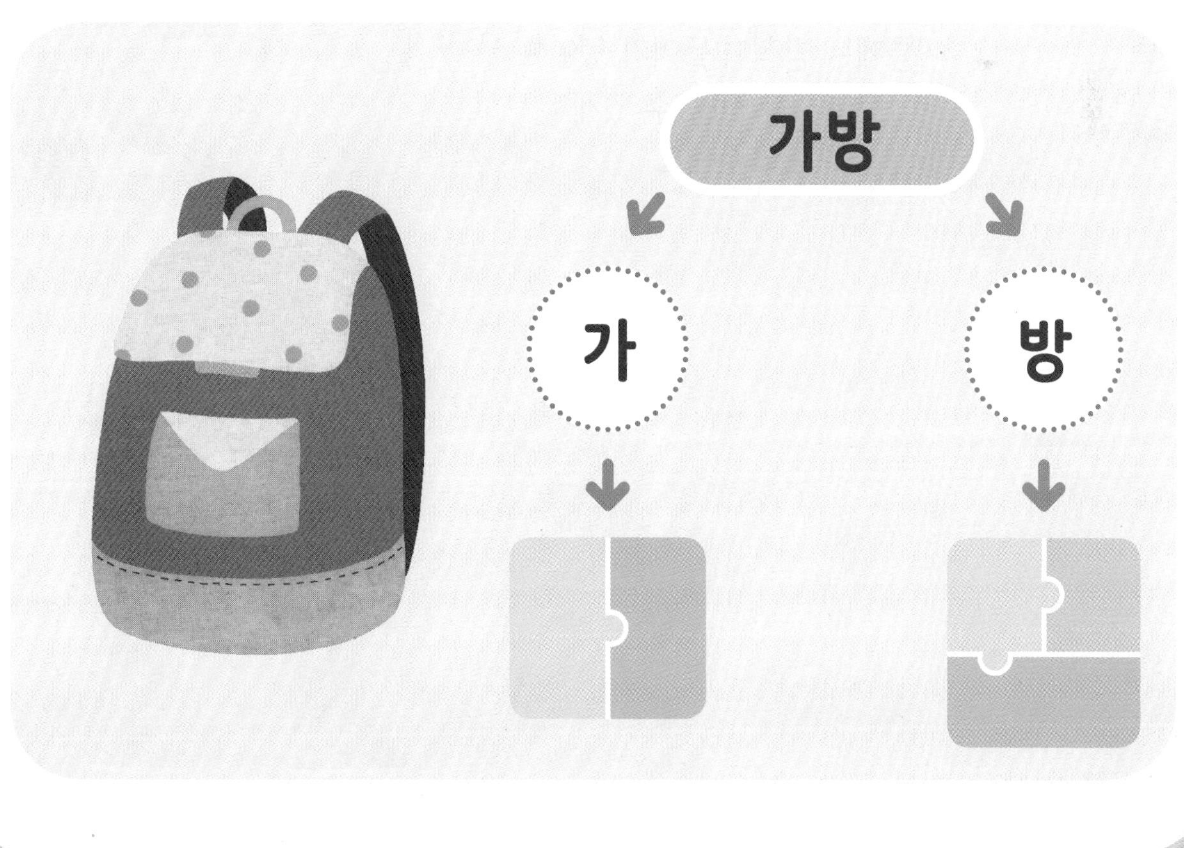

## 재미있는 한글 퀴즈 신경향·신유형

◆ 잃어버린 강아지를 찾으러 왔어요. 아이가 찾는 강아지에 ○표 하세요.

◆ 끝말잇기를 해요. 그림을 보고 알맞은 낱말을 써넣으세요.

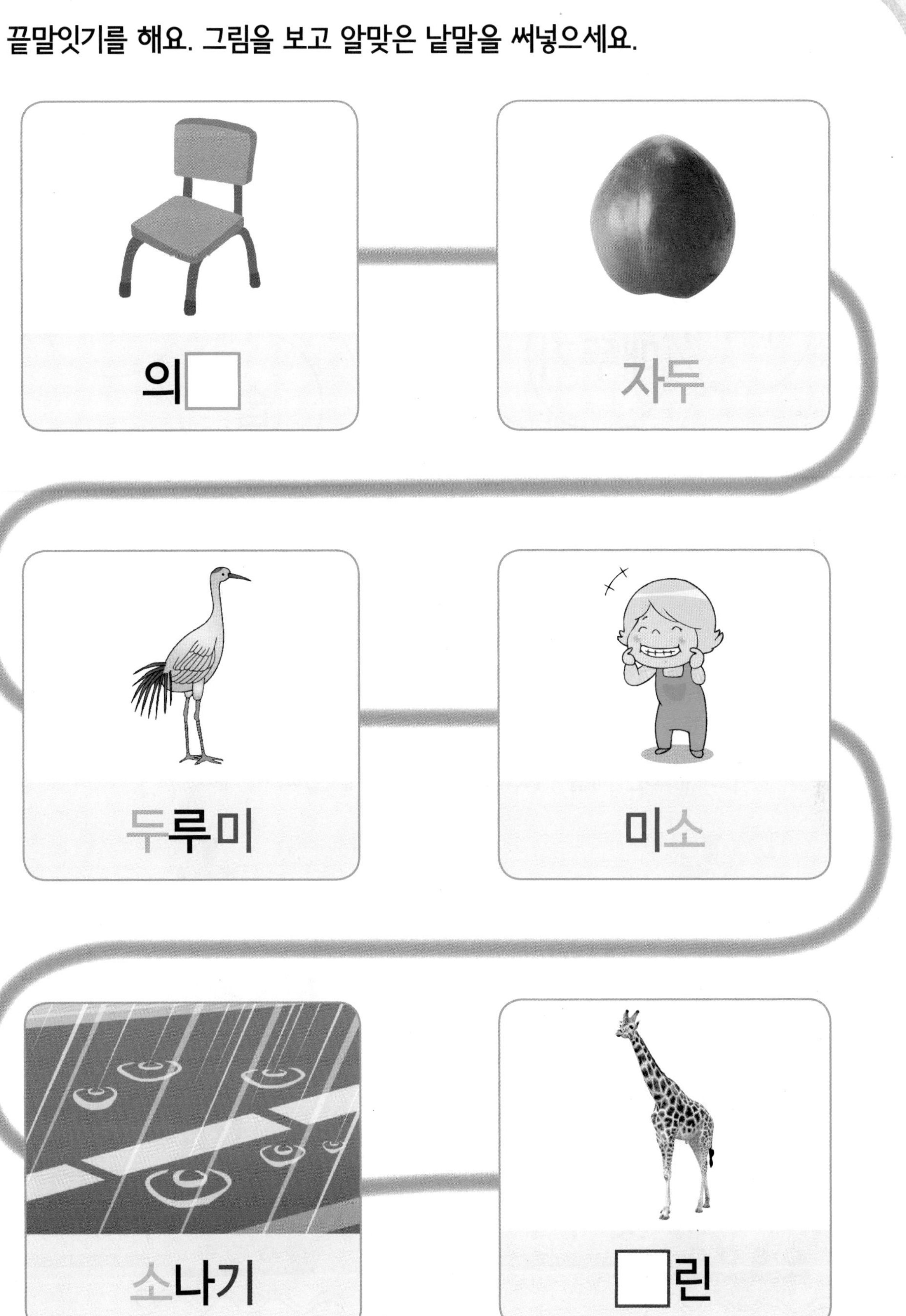

# 기초 종합 정리 ①

◆ 바르게 쓴 낱말이 있는 풍선을 2개 찾아서 색칠하세요

◆ 낱말이 바르게 쓰인 배를 타고 있는 동물에게 ○표 하세요.

◆ ○ 안의 것을 가리키는 낱말을 쓸 때 필요 없는 글자에 ✕표 하세요.

◆ 친구들이 말하는 글자로 만들 수 있는 이름의 꽃에 ○표 하세요.

## 기초 종합 정리 ①

◆ 끝말잇기 놀이를 해요. 빈칸에 알맞은 글자에 ○표 하세요.

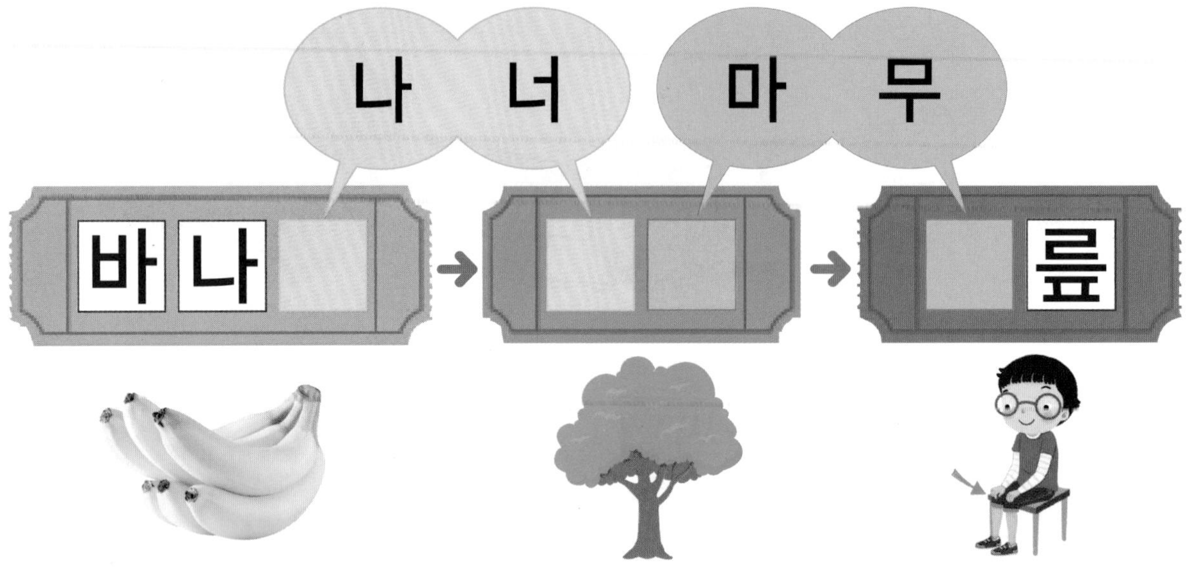


◆ 보기 처럼 친구들이 들고 있는 글자와 받침 'ㄴ'이 만나서 만들어진 낱말이 뜻하는 것에 ○표 하세요.

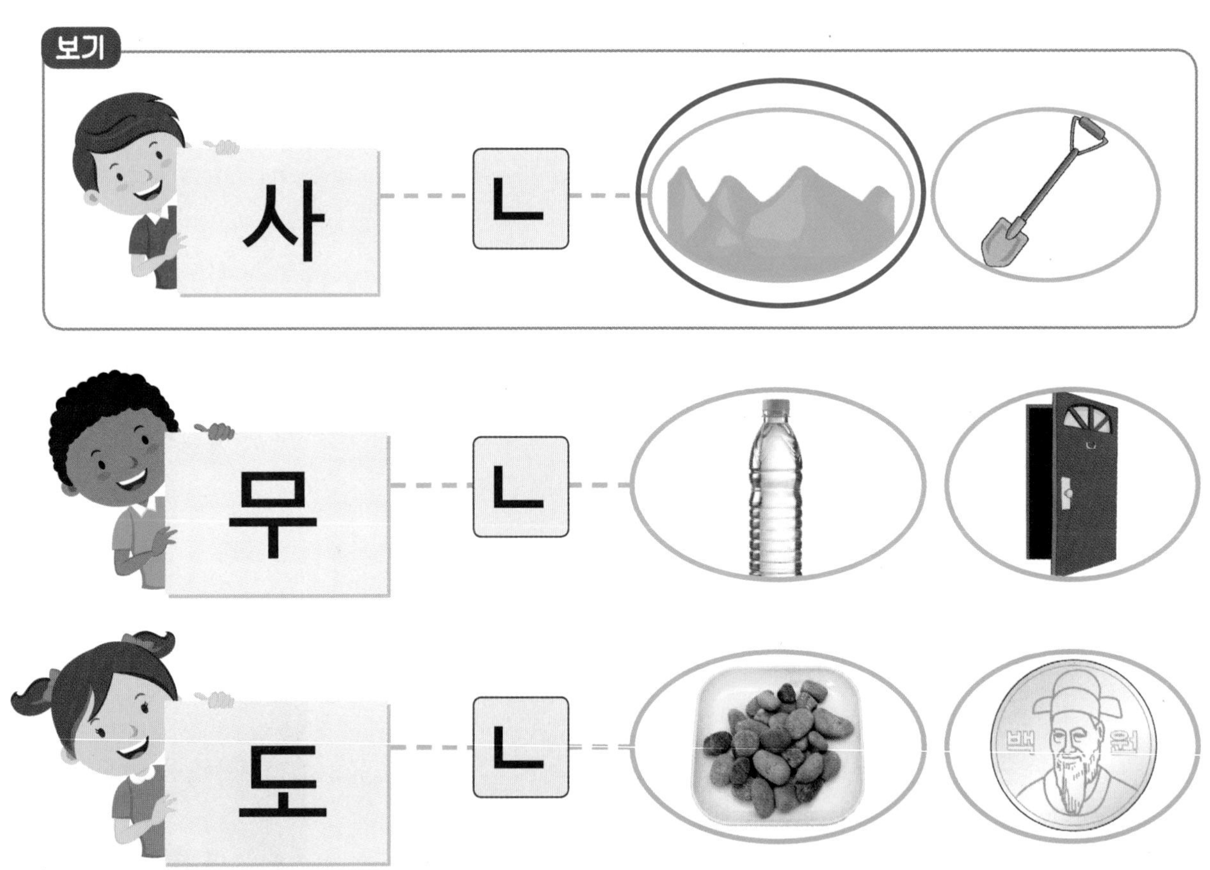

◆ 보기 와 같이 자음자를 보고 만들 수 있는 낱말을 써넣으세요.

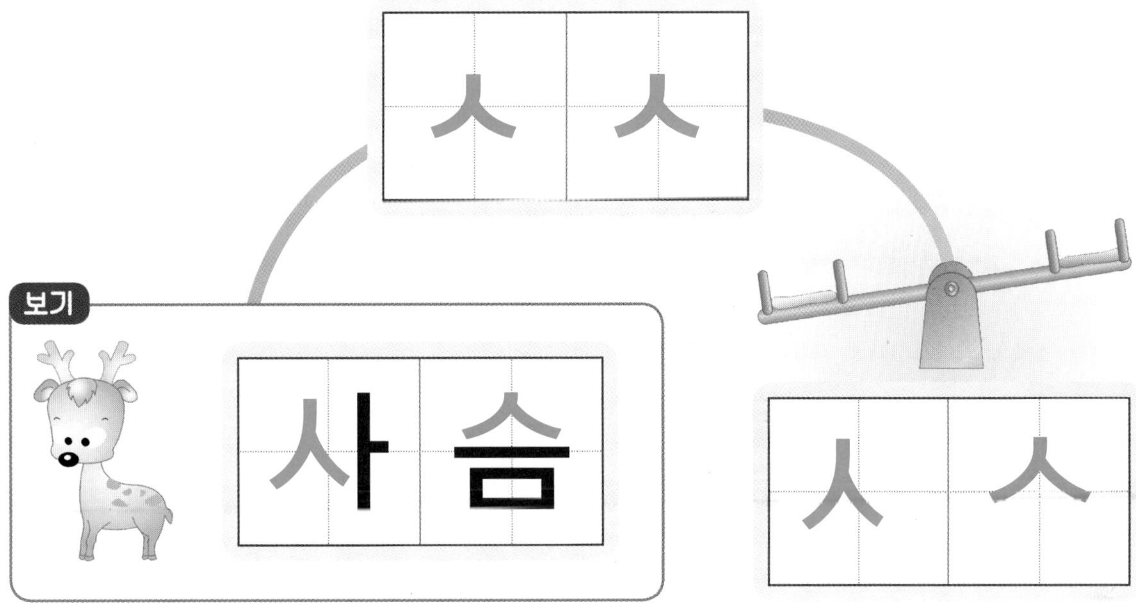


◆ 왼쪽 기구에 빠져 있는 글자를 곰이 들고 있는 풍선에서 찾아 ○표 하세요.

# 기초 종합 정리 ②

◆ 그림에 알맞은 글자를 빈칸에 써넣어 낱말을 완성하세요.

❶

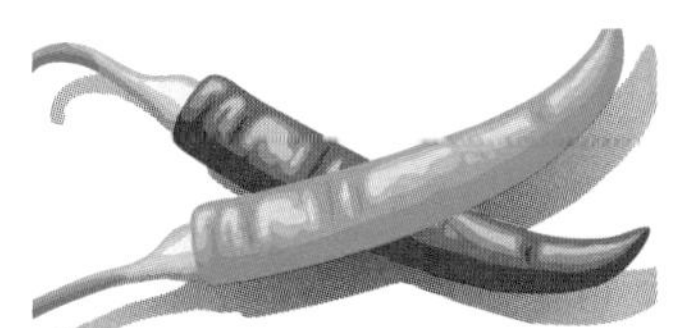

| | 추 |
|---|---|

❷

| | 누 |
|---|---|

❸

| | 계 |
|---|---|

❹

| 기 | |
|---|---|

❺

| 개 | 나 | |
|---|---|---|

◆ 그림을 보고 빈칸에 알맞은 받침을 써넣어 낱말을 완성하세요.

1. 가바

2. 기리

3. 따기

4. 오수수

5. 아치마

## 기초 종합 정리 ❷

◆ 그림을 보고 빈칸에 알맞은 글자를 써넣어 낱말을 완성하세요.

❶

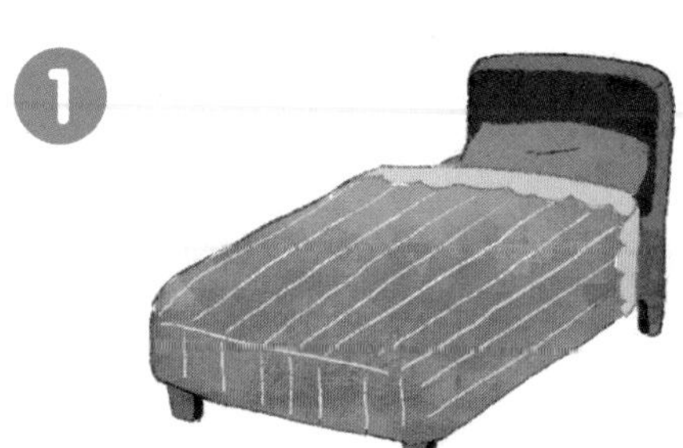

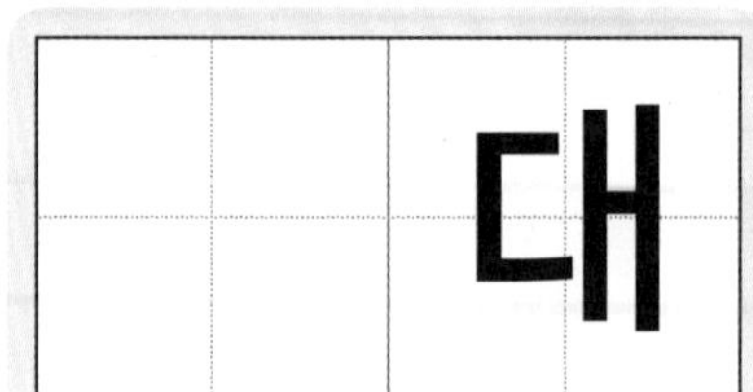

❷

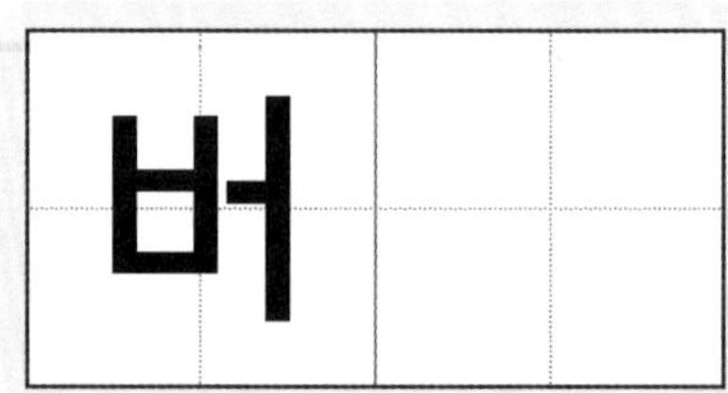

❸

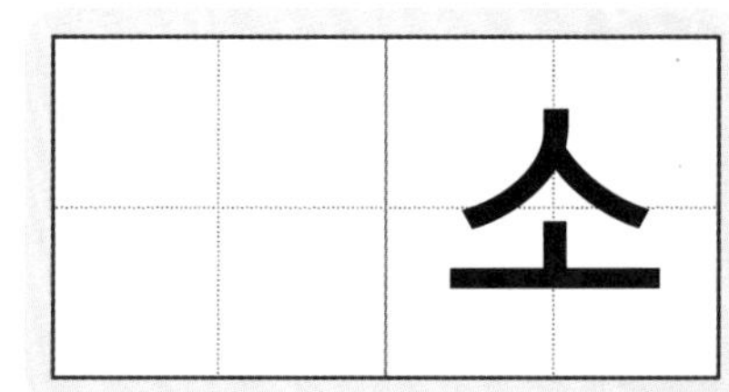

❹

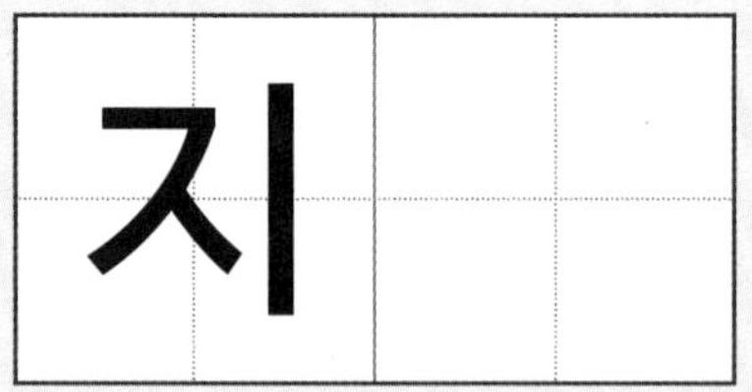

❺

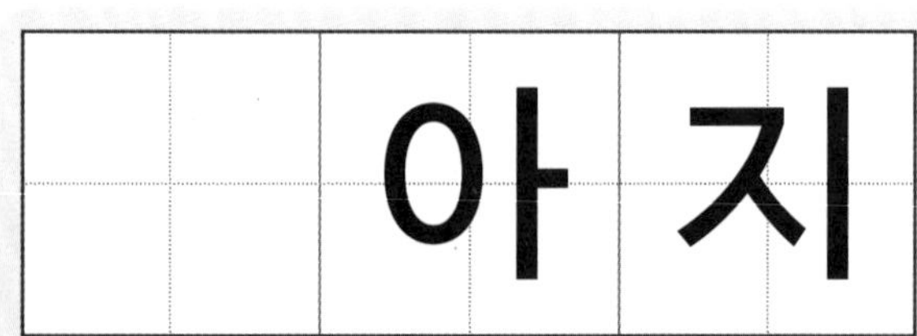

◆ 그림을 보고 빈칸에 알맞은 글자를 써넣어 낱말을 완성하세요.

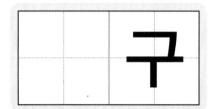

❶

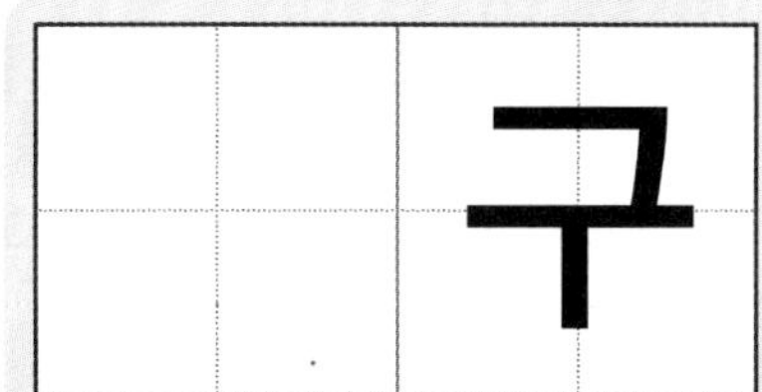


❷

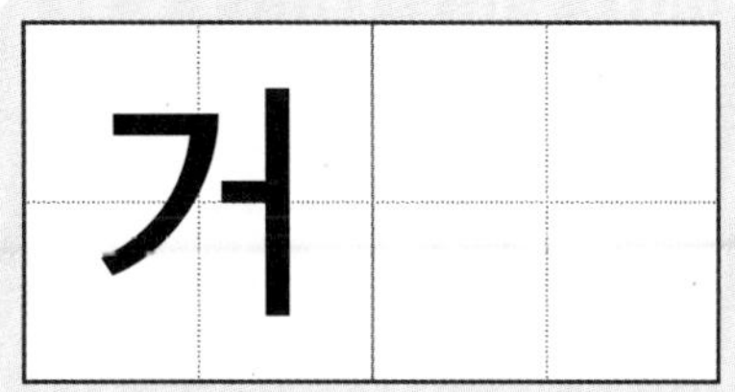


❸

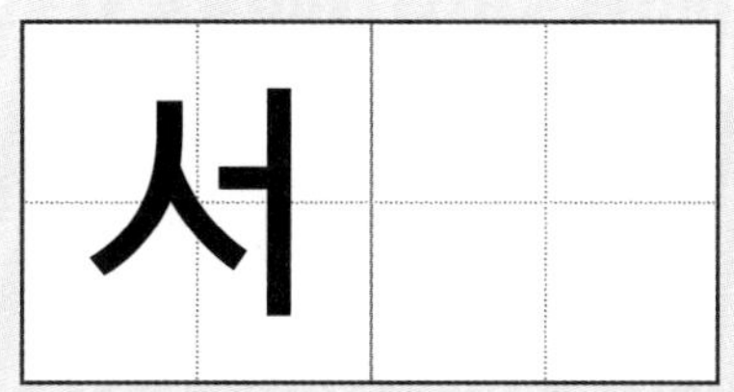


❹

❺

한글은 세종 대왕이 만든 우리나라의 글자예요.
백성을 사랑하는 마음으로
누구나 쉽게 배울 수 있도록 만들었지요.
소중하고 고운 한글로 우리의 생각과 말을 담아 보아요.
한
글
사
랑

이름 ____________

위 어린이는 **똑똑한 하루 어휘**

**예비 초등 B단계**를

열심히 공부하였으므로

크게 칭찬하며 이 상장을 드립니다.

년　　월　　일

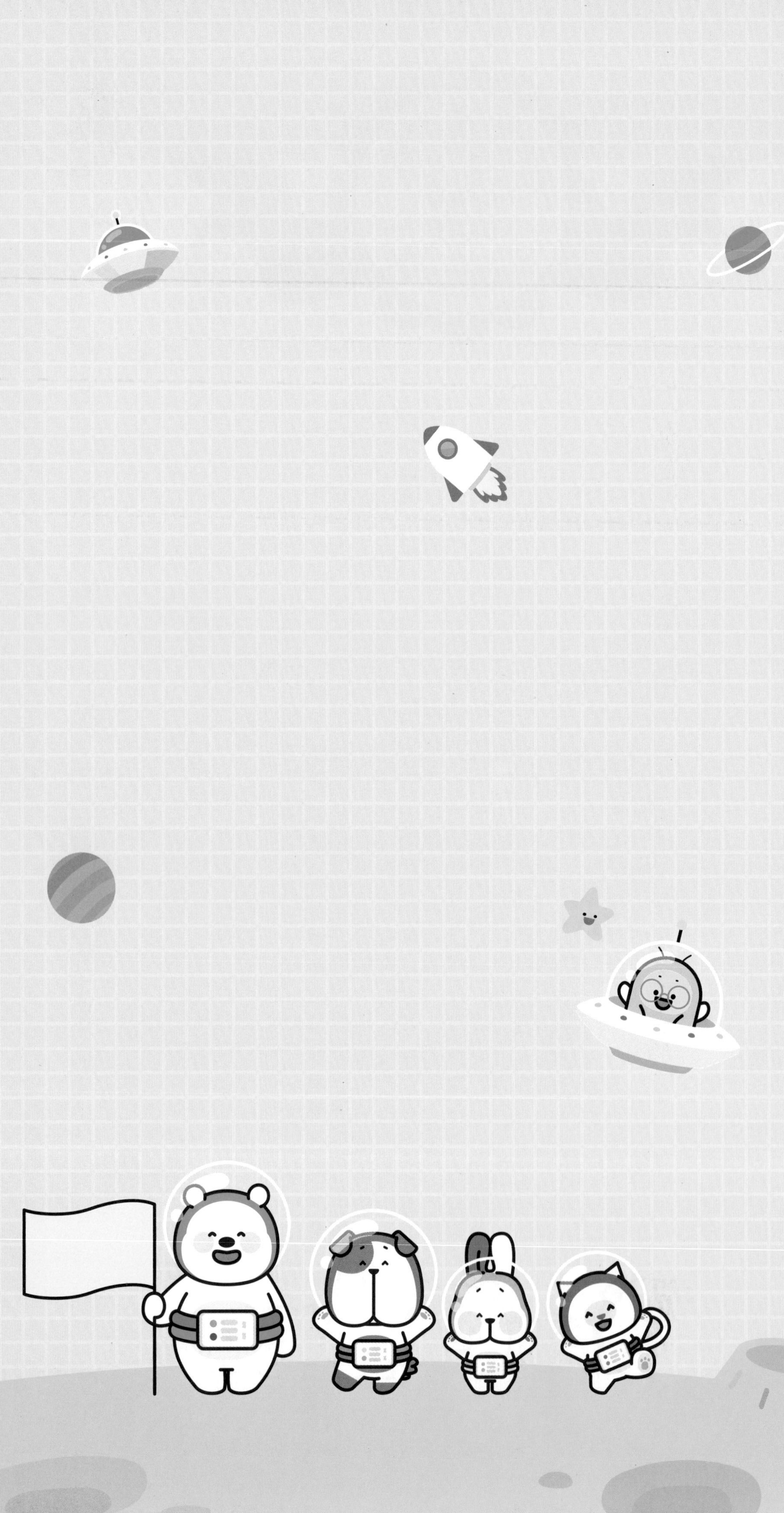

기초
학습능력 강화
프로그램

똑 똑 한

# 하루 어휘

한글 익히기

# 정답과 풀이

예비초 B

천재교육

똑 똑 한

# 하루 어휘

한글 익히기

# 1주 받침이 없는 낱말

붙임 딱지 1쪽

10쪽에 붙이세요.

ㄷ ㅜ ㄴ ㅏ

ㅁ ㅜ

11쪽에 붙이세요.

ㅅ ㅗ ㄹ ㅏ

ㄷ ㅏ ㄹ ㅣ

ㅁ ㅣ

하루 공부를 끝내고 스케줄표에 붙여 보세요!

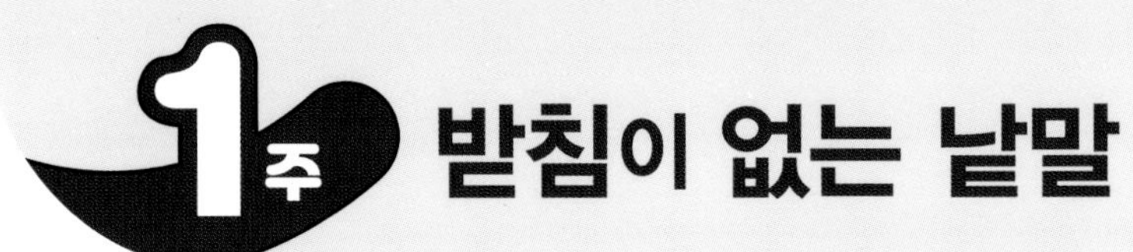


붙임 딱지 2쪽

1일 12쪽에 붙이세요.

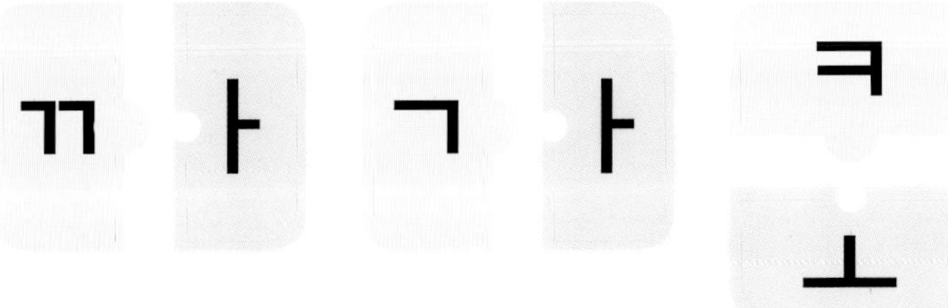


2일 16쪽에 붙이세요.

3일 20쪽에 붙이세요.

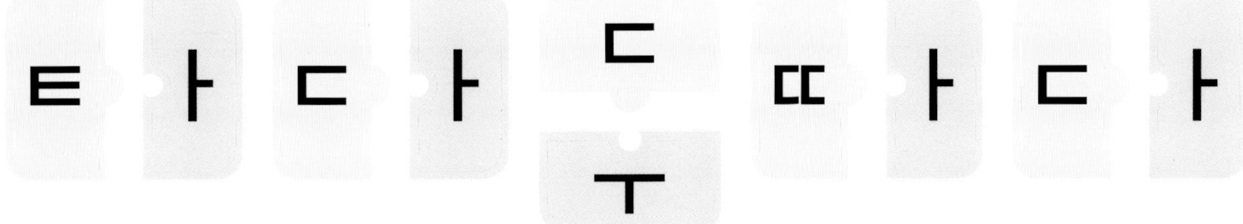


4일 24쪽에 붙이세요.

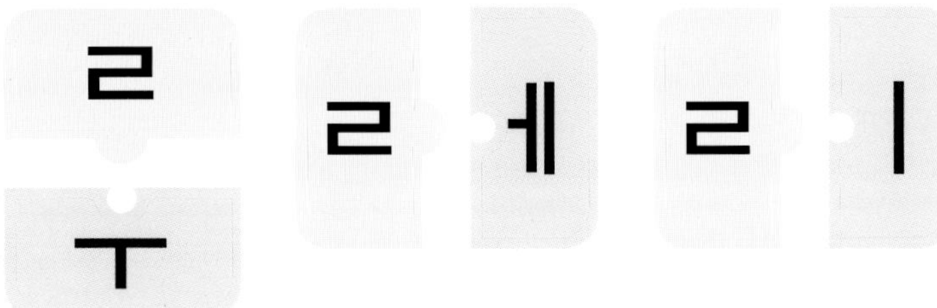


5일 28쪽에 붙이세요.

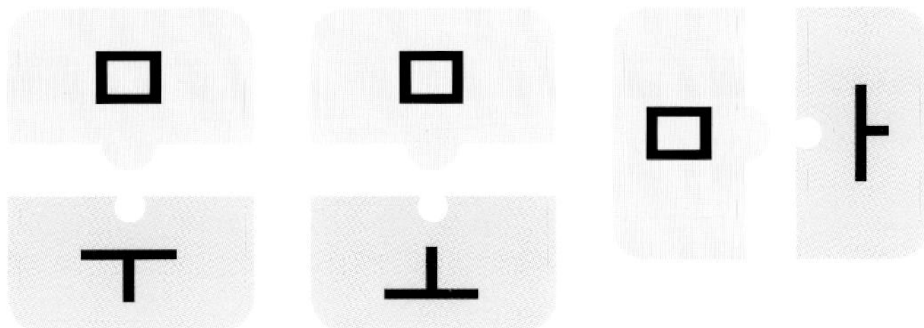

# 2주 받침이 없는 낱말

붙임 딱지 3쪽

42쪽에 붙이세요.

ㅇ ㅏ ㅍ ㅏ

ㅌ ㅡ

43쪽에 붙이세요.

ㅊ ㅣ ㅈ ㅡ

ㄷ ㅓ ㅎ ㅏ

ㄷ ㅏ

하루 공부를 끝내고 스케줄표에 붙여 보세요!

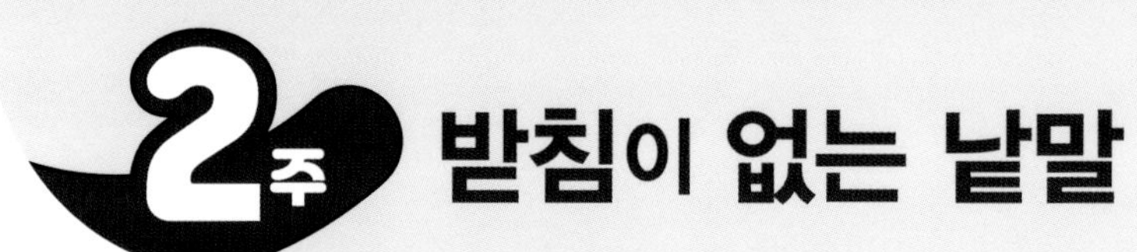


# 받침이 없는 낱말

붙임 딱지 4쪽

**1일** 44쪽에 붙이세요.

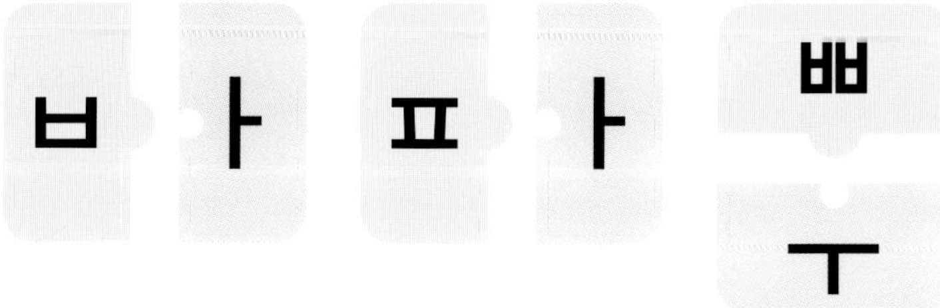


**2일** 48쪽에 붙이세요.

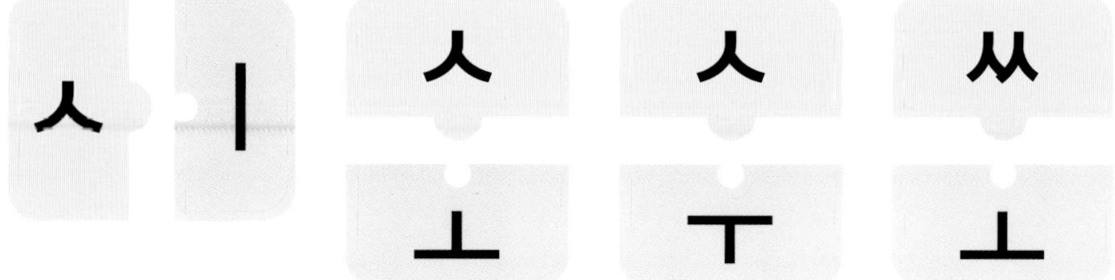


**3일** 52쪽에 붙이세요.

**4일** 56쪽에 붙이세요.

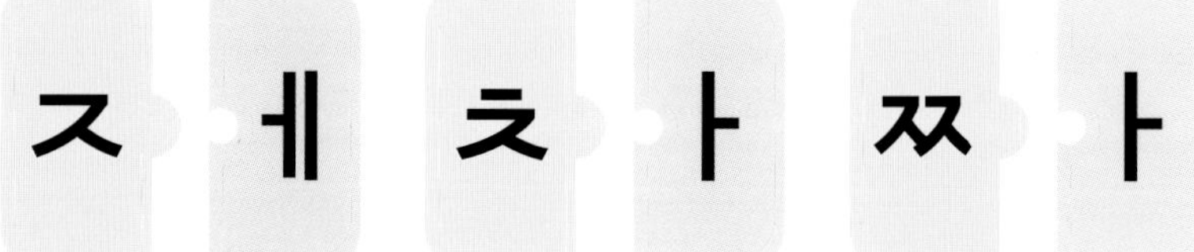


**5일** 60쪽에 붙이세요.

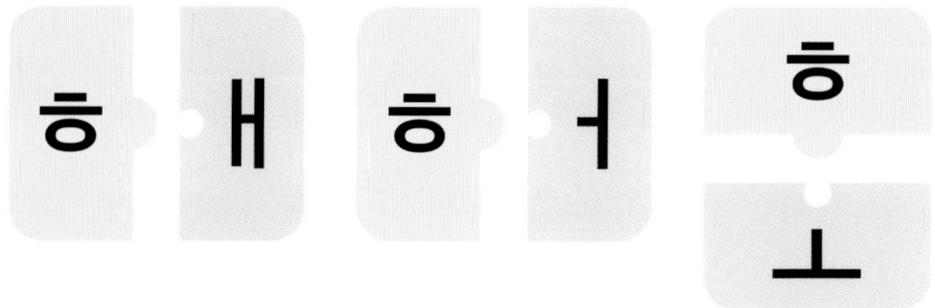

붙임 딱지 5쪽

74쪽에 붙이세요.

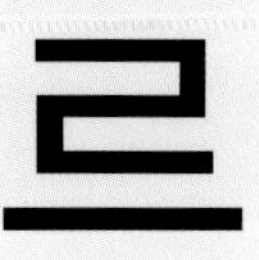

75쪽에 붙이세요.

꼬

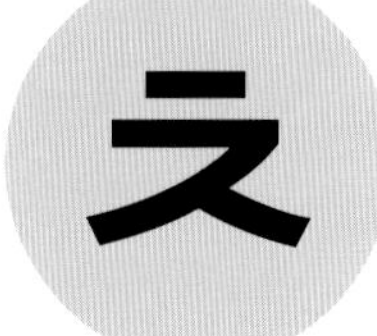


학용품에 붙여 쓰세요.

◈ 학용품이나 내 물건에 이름을 써 붙여 활용하세요.

## 하루 공부를 끝내고 스케줄표에 붙여 보세요!

# 3주 받침이 있는 낱말

붙임 딱지 6쪽

1일 76쪽에 붙이세요.

ㅈ ㅣ ㄴ

ㅈ ㅗ ㄱ

ㅊ ㅐ ㄱ

2일 80쪽에 붙이세요.

ㄹ ㅡ ㅁ

ㄴ ㅗ ㄹ

ㄷ ㅗ ㄷ

3일 84쪽에 붙이세요.

ㅂ ㅏ ㅇ

ㅇ ㅗ ㅅ

ㄹ ㅏ ㅂ

4일 88쪽에 붙이세요.

ㅇ ㅓ ㅋ

ㄲ ㅗ ㅊ

ㅈ ㅓ ㅈ

5일 92쪽에 붙이세요.

ㄹ ㅏ ㅎ

ㅍ ㅏ ㅌ

ㄹ ㅡ ㅍ

# 1주 정답과 풀이

## 받침이 없는 낱말

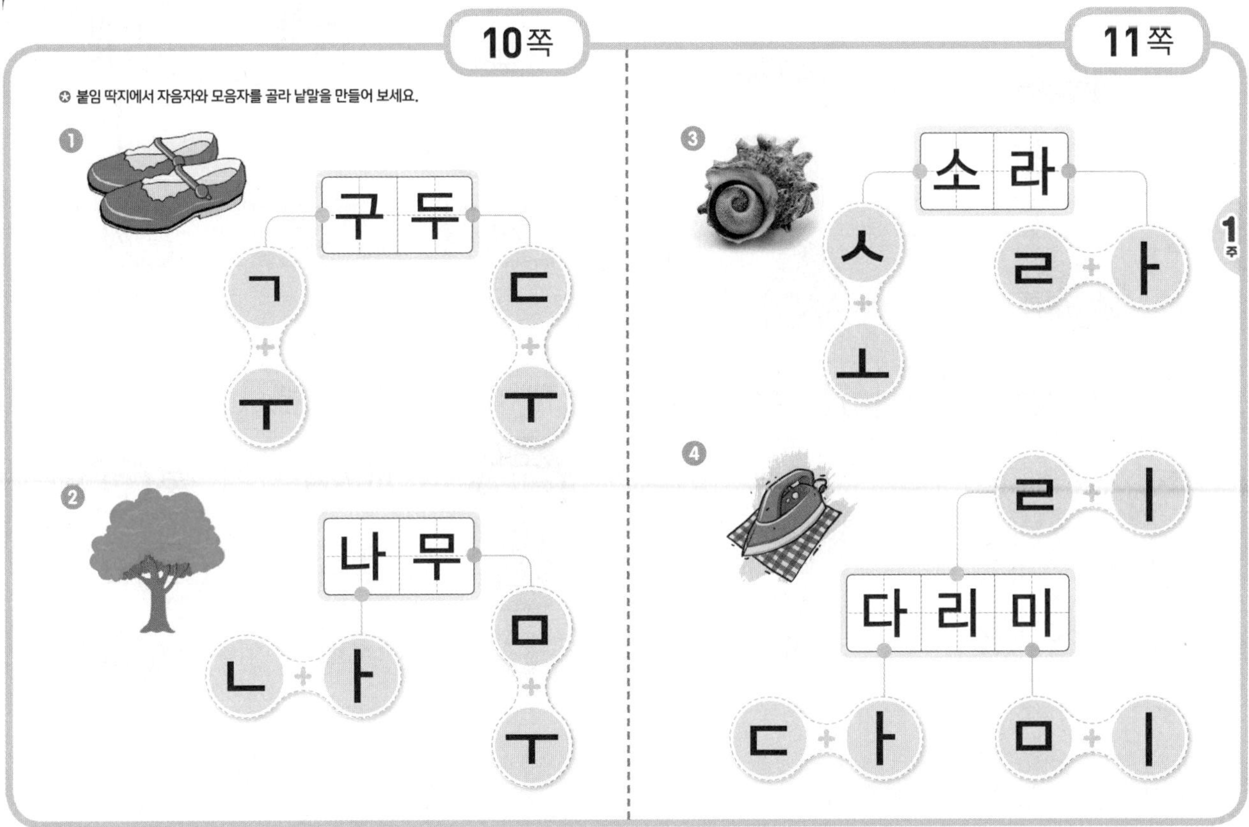

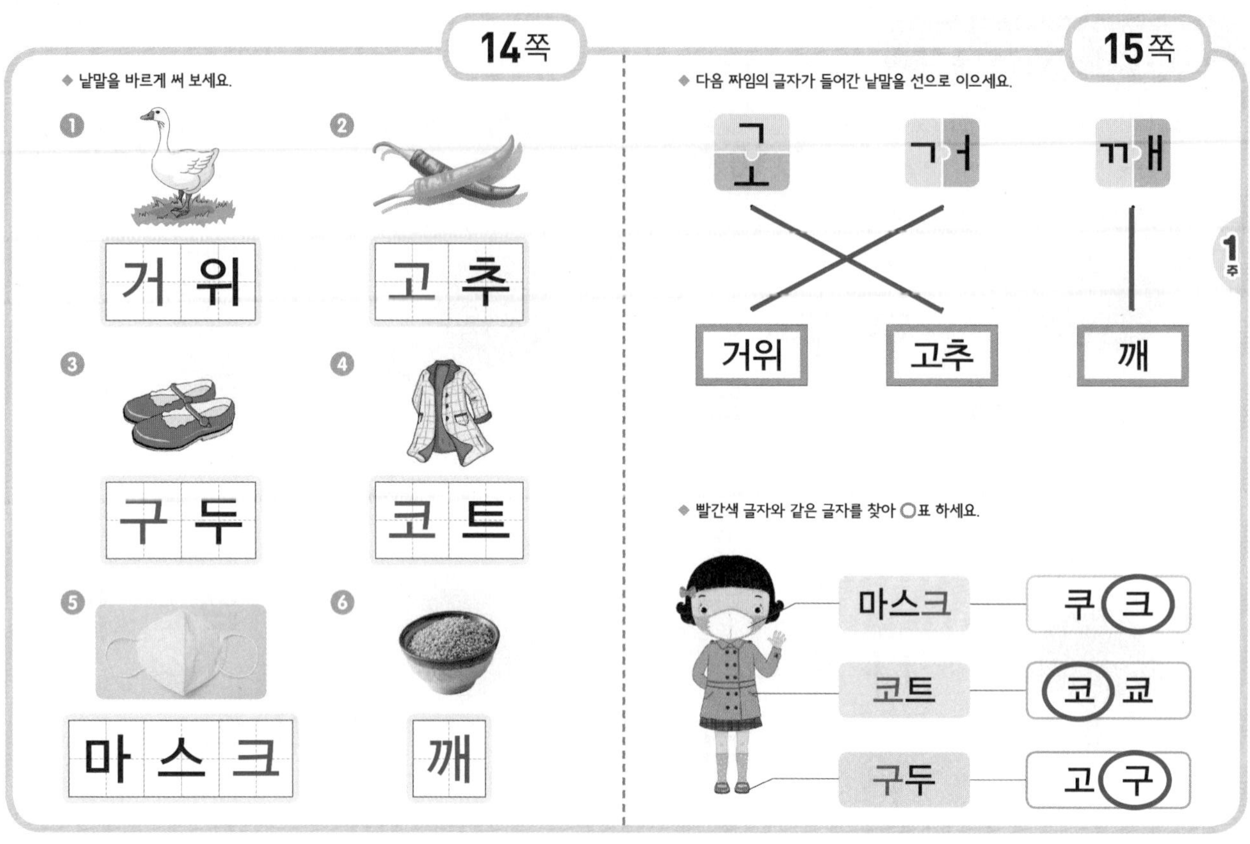
14쪽
◆ 낱말을 바르게 써 보세요.
❶ 거위
❷ 고추
❸ 구두
❹ 코트
❺ 마스크
❻ 깨
15쪽
◆ 다음 짜임의 글자가 들어간 낱말을 선으로 이으세요.
ㄱ ㅗ
ㄱ ㅓ
ㄲ ㅐ
거위
고추
깨
◆ 빨간색 글자와 같은 글자를 찾아 ○표 하세요.
마스크
쿠 크
코트
코 쿄
구두
고 구

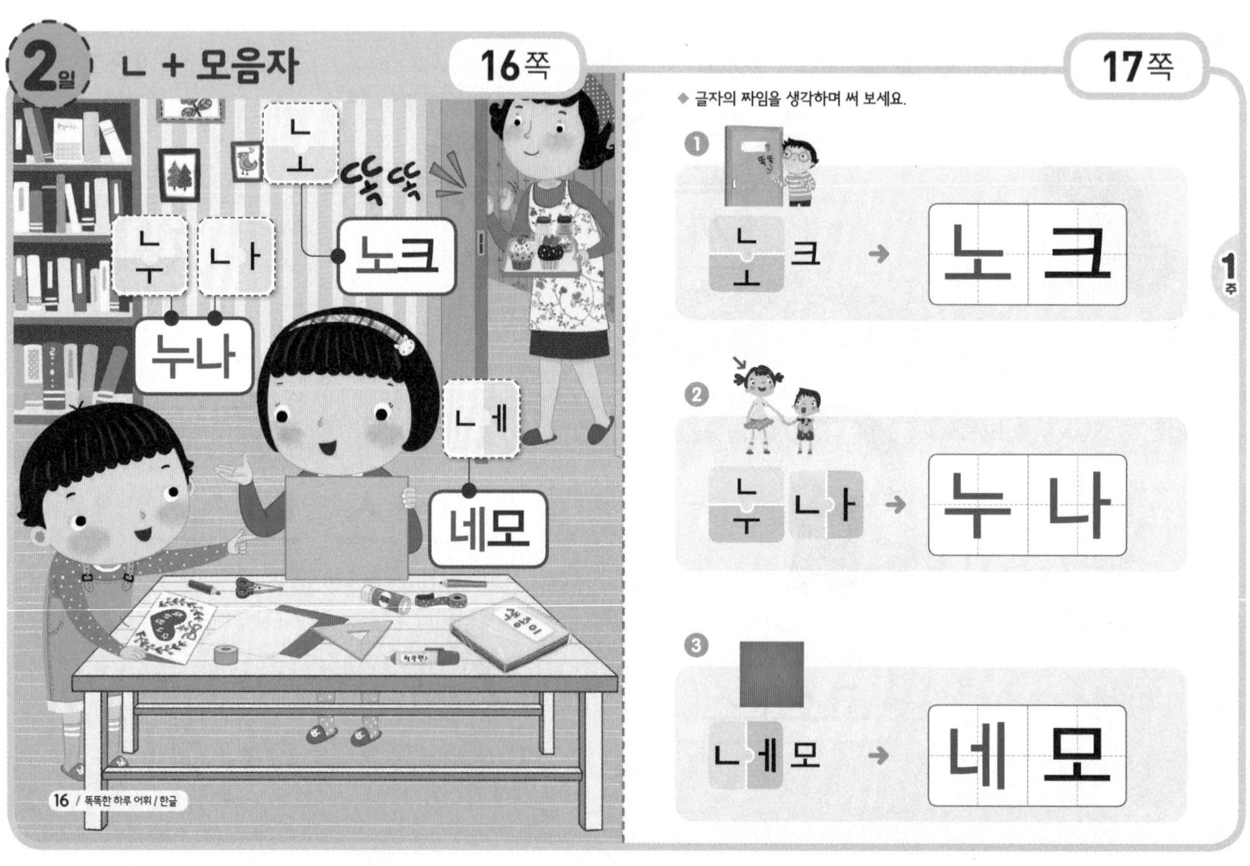
2일 ㄴ + 모음자
16쪽
ㄴ ㅗ
뚝뚝
누 나
노크
누나
ㄴ ㅔ
네모
16 / 똑똑한 하루 어휘 / 한글
17쪽
◆ 글자의 짜임을 생각하며 써 보세요.
❶ ㄴ ㅗ 크 → 노크
❷ ㄴ ㅜ ㄴ ㅏ → 누나
❸ ㄴ ㅔ 모 → 네모

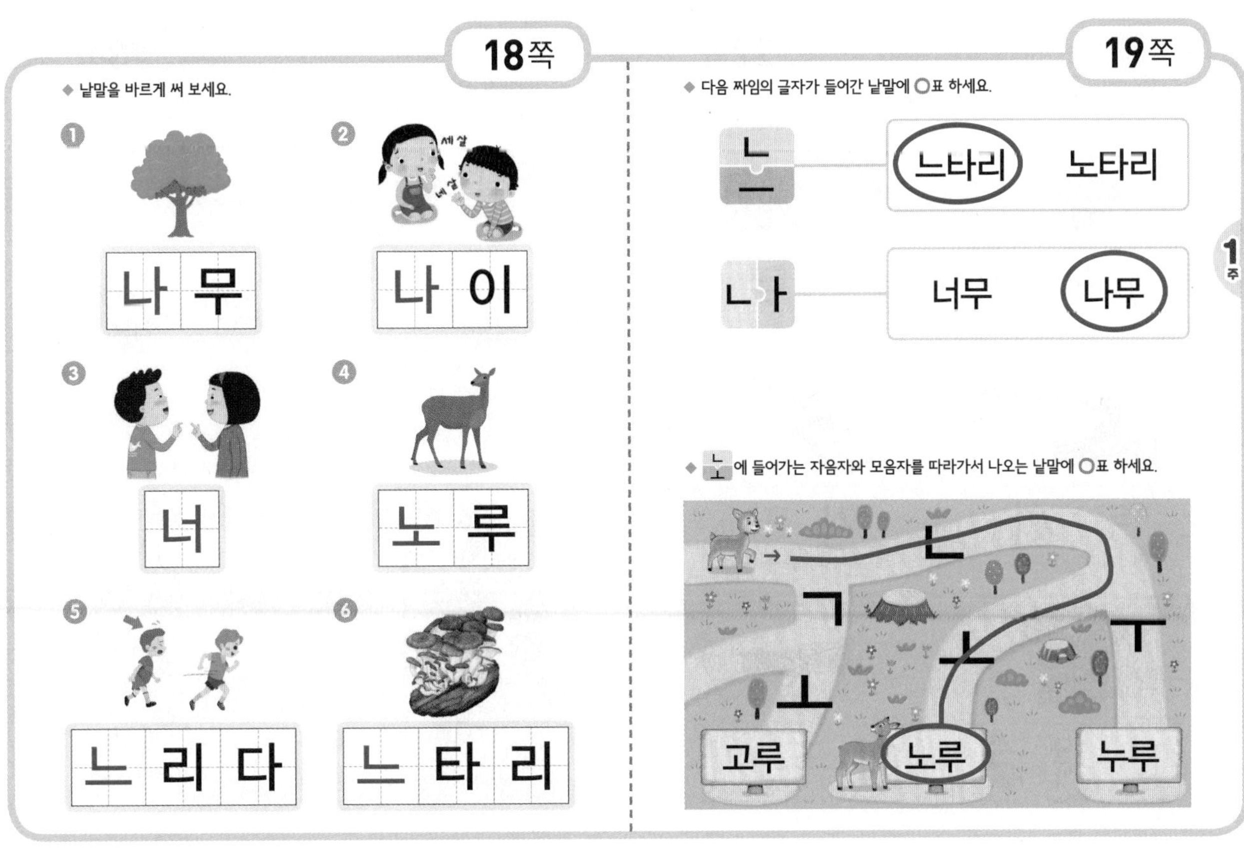
18쪽
◆ 낱말을 바르게 써 보세요.
1 나무
2 나이
3 너
4 노루
5 느리다
6 느타리
19쪽
◆ 다음 짜임의 글자가 들어간 낱말에 ○표 하세요.
느타리 노타리
너무 나무
◆ 에 들어가는 자음자와 모음자를 따라가서 나오는 낱말에 ○표 하세요.
고루 노루 누루

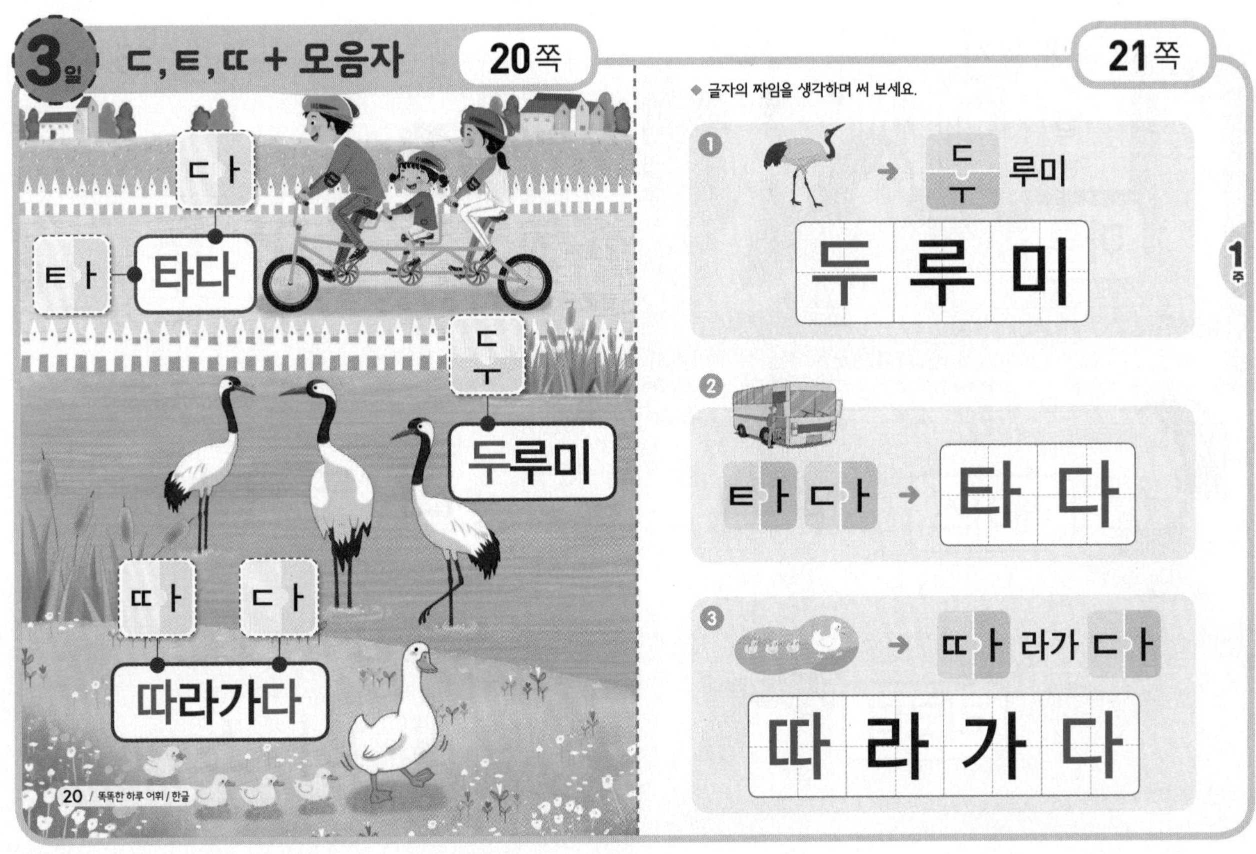
3일 ㄷ, ㅌ, ㄸ + 모음자 20쪽
타다
두루미
따라가다
21쪽
◆ 글자의 짜임을 생각하며 써 보세요.
1 루미
두루미
2 타다
3 라가
따라가다

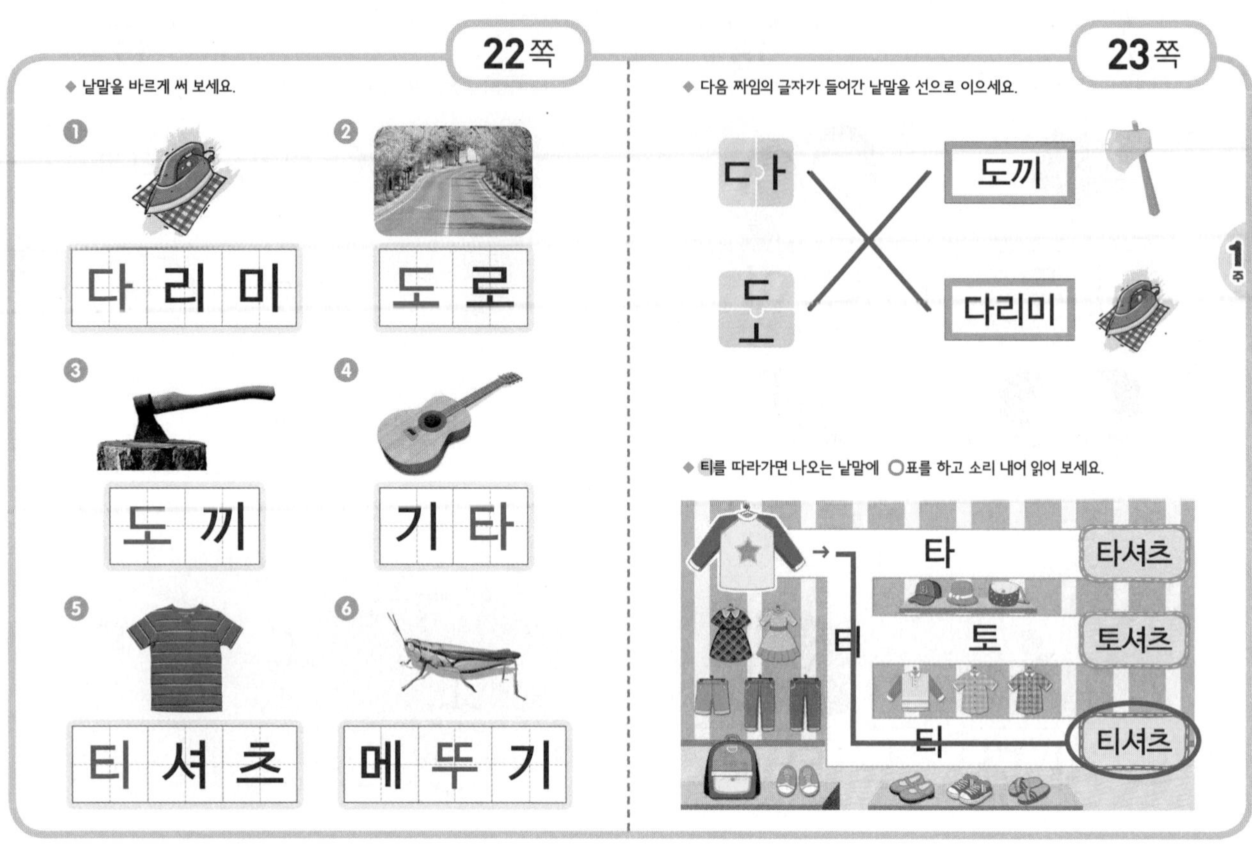
22쪽
◆ 낱말을 바르게 써 보세요.
다 리 미
도 로
도 끼
기 타
티 셔 츠
메 뚜 기
23쪽
◆ 다음 짜임의 글자가 들어간 낱말을 선으로 이으세요.
도끼
다리미
◆ 티를 따라가면 나오는 낱말에 ○표를 하고 소리 내어 읽어 보세요.
타
토
티
타셔츠
토셔츠
티셔츠

4일 ㄹ + 모음자
24쪽
마루
레이스
리코더
25쪽
◆ 글자의 짜임을 생각하며 써 보세요.
마 루
리 코 더
레 이 스

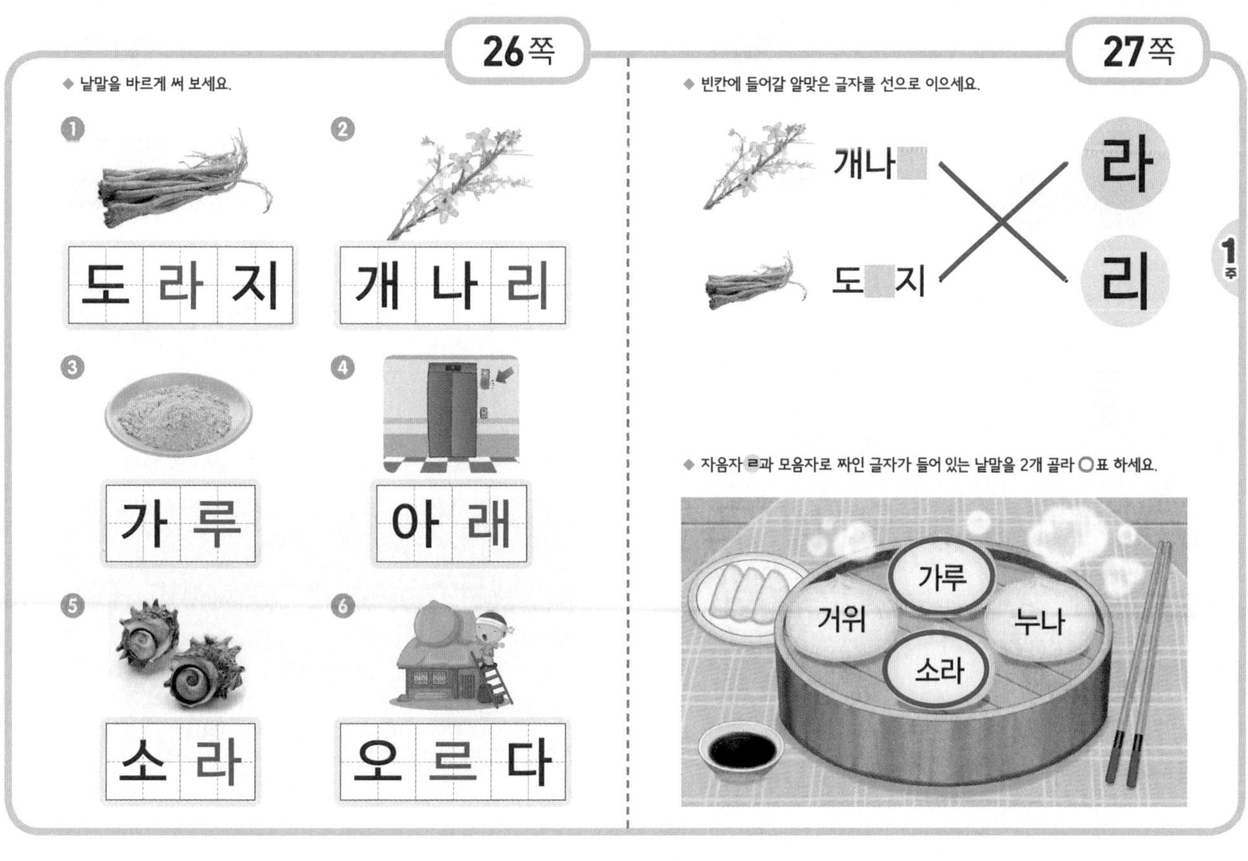
26쪽
◆ 낱말을 바르게 써 보세요.
❶ 도라지
❷ 개나리
❸ 가루
❹ 아래
❺ 소라
❻ 오르다
27쪽
◆ 빈칸에 들어갈 알맞은 글자를 선으로 이으세요.
개나
도 지
라
리
◆ 자음자 ㄹ과 모음자로 짜인 글자가 들어 있는 낱말을 2개 골라 ○표 하세요.
가루
거위
누나
소라

5일 ㅁ + 모음자
28쪽
무
무지개
모
모래
마
마시다
29쪽
◆ 글자의 짜임을 생각하며 써 보세요.
❶ 모 래 → 모래
❷ → 마 시다 마시다
❸ → 무 지개 무지개

30쪽

◆ 낱말을 바르게 써 보세요.

1 마사지
2 모기
3 매미
4 마요네즈
5 미나리
6 미소

31쪽

◆ 자음자 ㅁ과 모음자를 모아 빈칸에 알맞은 글자를 쓰세요.

무 – 무지개

미 – 미나리

◆ 자음자 ㅁ과 모음자 ㅗ가 모인 글자가 들어간 낱말을 골라 ○표 하세요.

미소 / (모기) / 매미

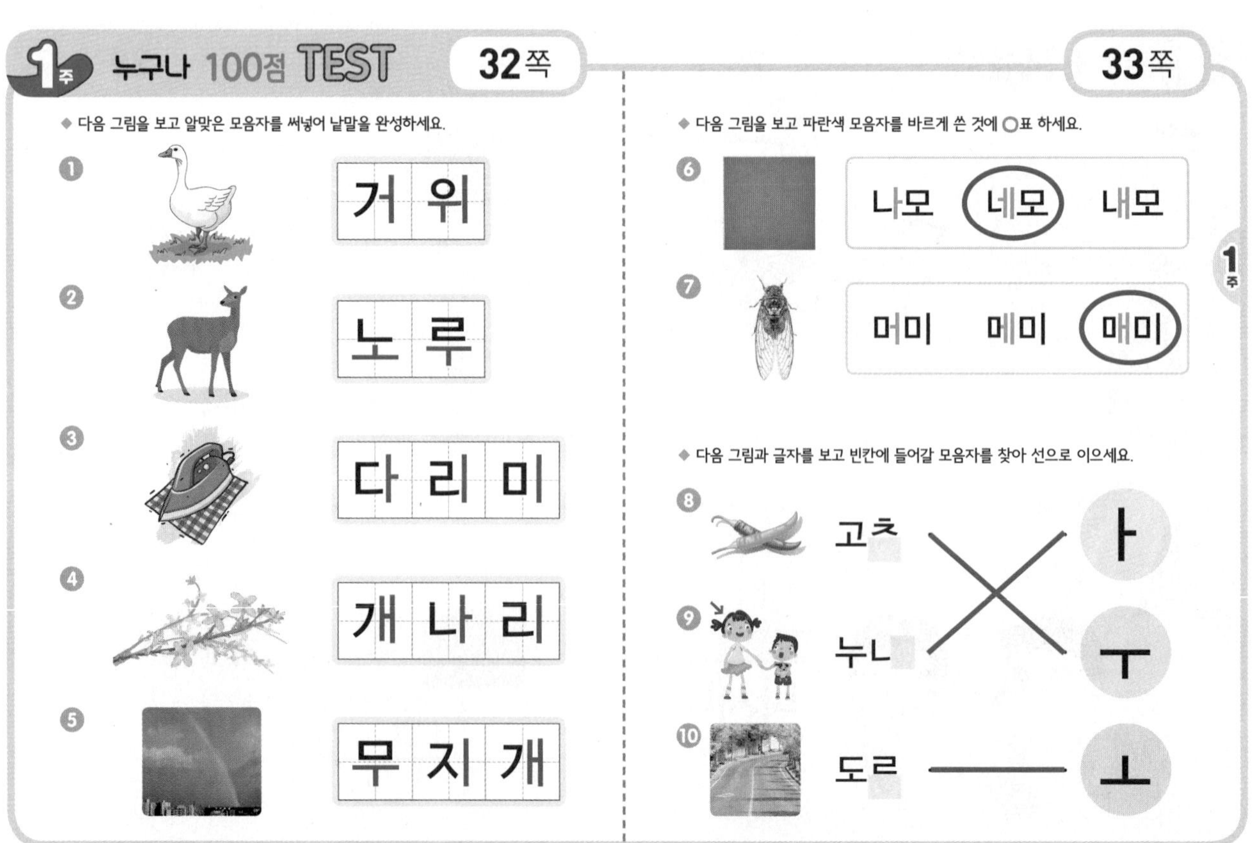

1주 누구나 100점 TEST

32쪽

◆ 다음 그림을 보고 알맞은 모음자를 써넣어 낱말을 완성하세요.

1 거위
2 노루
3 다리미
4 개나리
5 무지개

33쪽

◆ 다음 그림을 보고 파란색 모음자를 바르게 쓴 것에 ○표 하세요.

6 나모 / (네모) / 내모
7 머미 / 메미 / (매미)

◆ 다음 그림과 글자를 보고 빈칸에 들어갈 모음자를 찾아 선으로 이으세요.

8 고ㅊ – ㅜ
9 누ㄴ – ㅏ
10 도ㄹ – ㅗ

## 34쪽

토끼가 맛있는 풀을 찾아가고 있어요. 모음자를 바르게 쓴 낱말을 찾아 길을 그려 보세요.

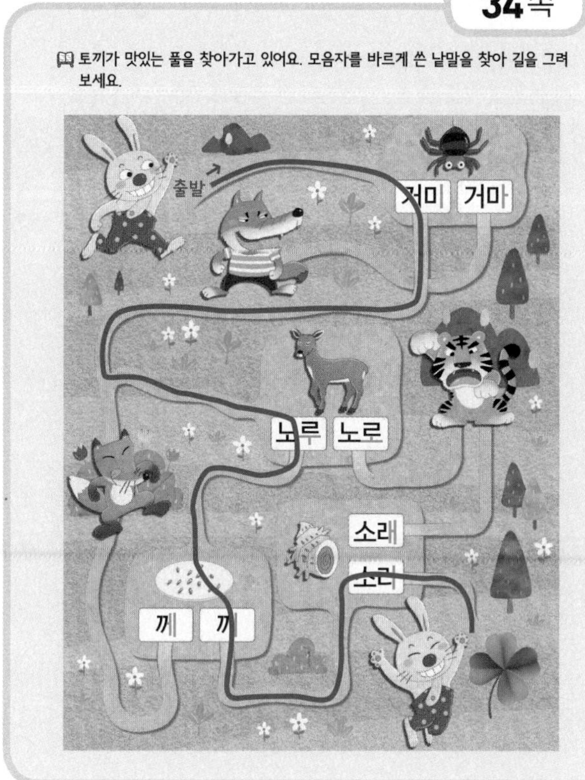


## 35쪽

다음 그림을 보고 빈칸에 들어갈 모음자를 알맞게 써넣어 끝말잇기 놀이를 하세요.

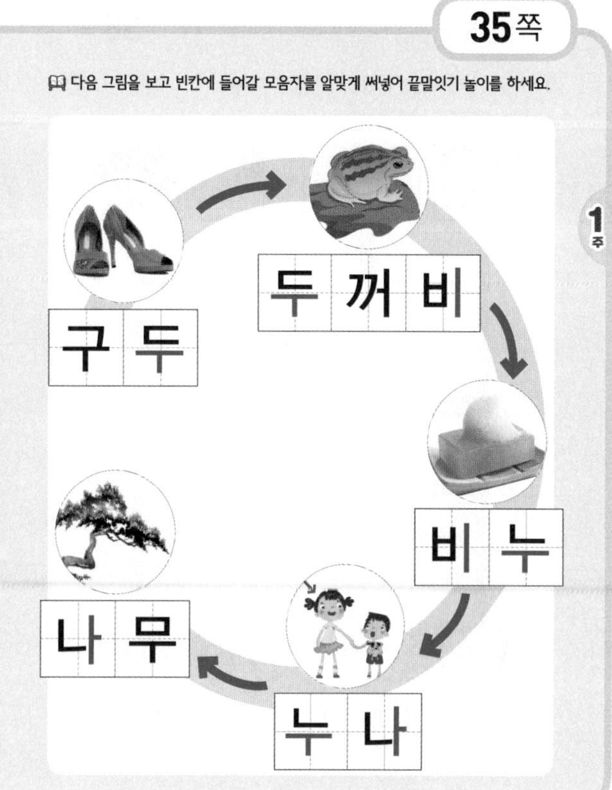


1주

## 36쪽

낱말이 바르게 쓰인 칸을 색칠해 보세요. 그리고 색칠한 부분은 어떤 모양인지 알맞은 것을 골라 ○표 하세요.

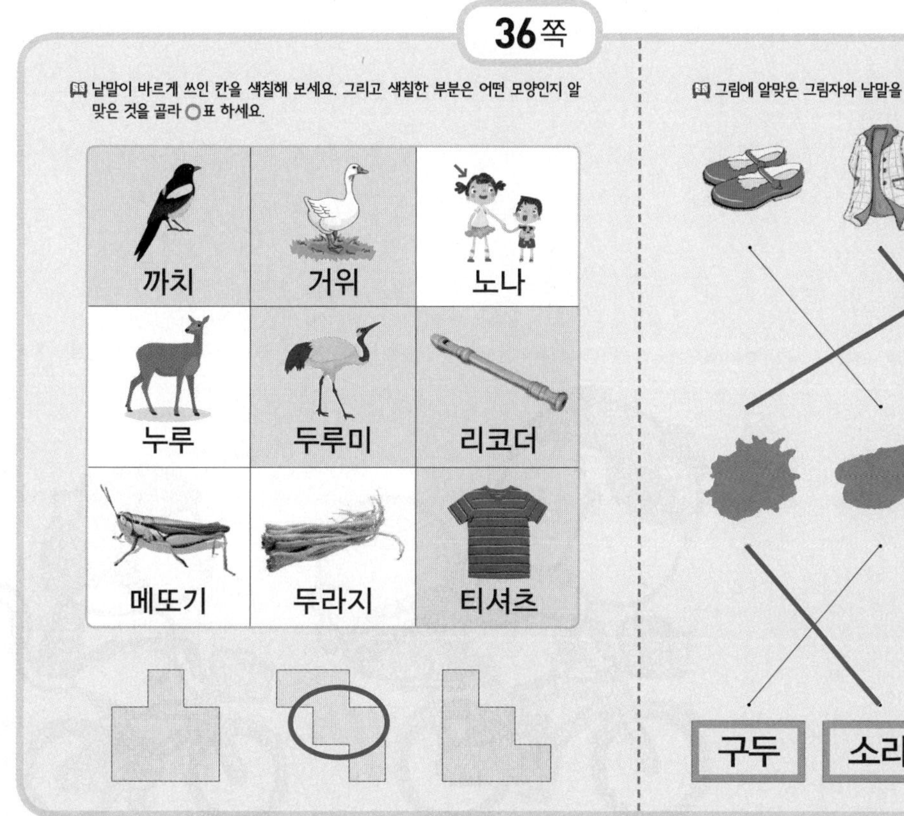


## 37쪽

그림에 알맞은 그림자와 낱말을 차례로 선으로 이어 보세요.

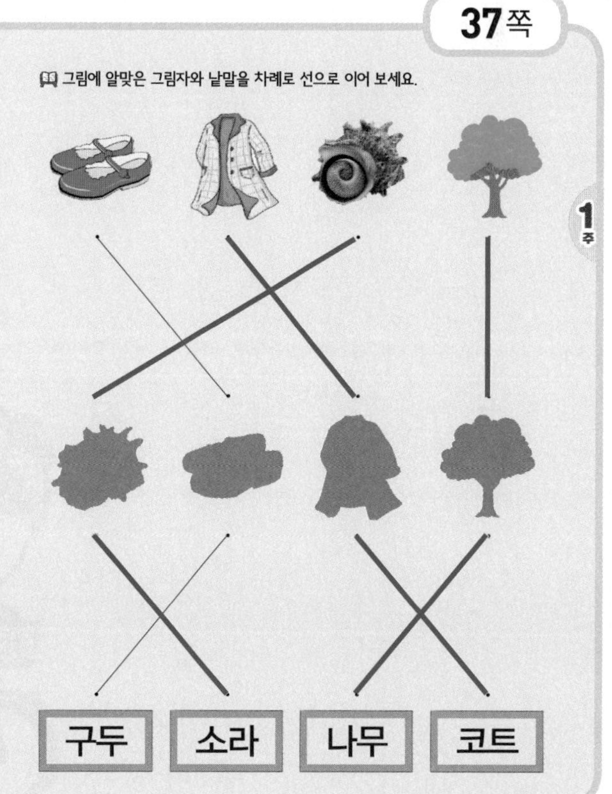


1주

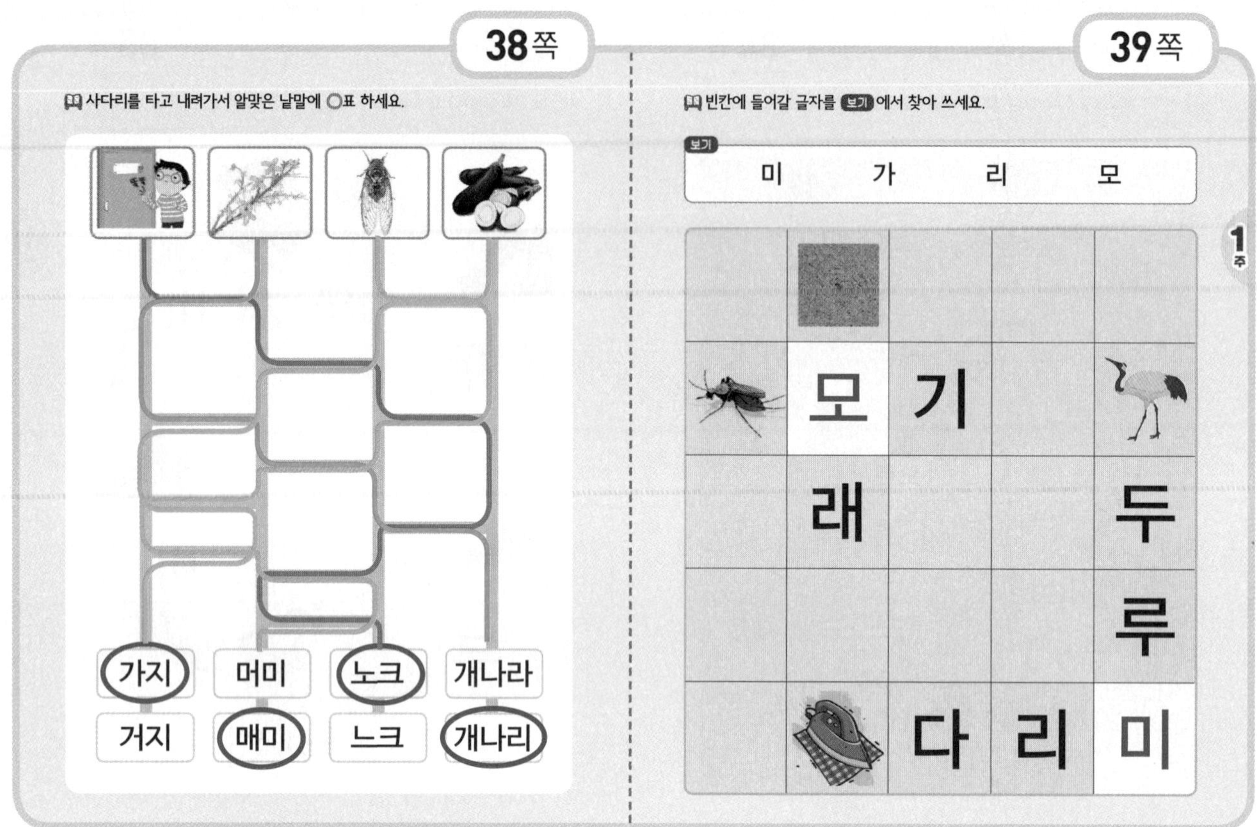
38쪽
사다리를 타고 내려가서 알맞은 낱말에 ○표 하세요.
가지
머미
노크
개나라
거지
매미
느크
개나리
39쪽
빈칸에 들어갈 글자를 보기 에서 찾아 쓰세요.
보기
미 가 리 모
모 기
래
두
루
다 리 미

# 2주 정답과 풀이

## 받침이 없는 낱말

42쪽 43쪽

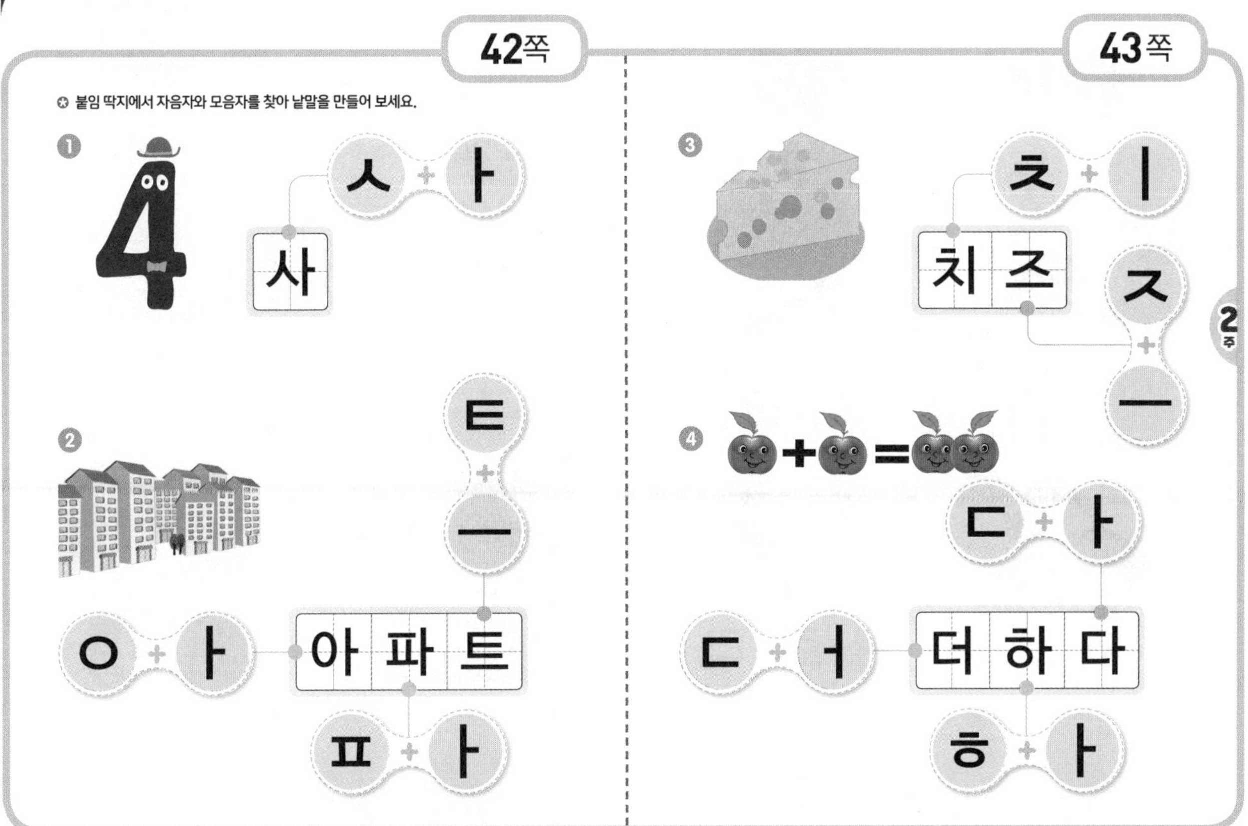


44쪽 45쪽

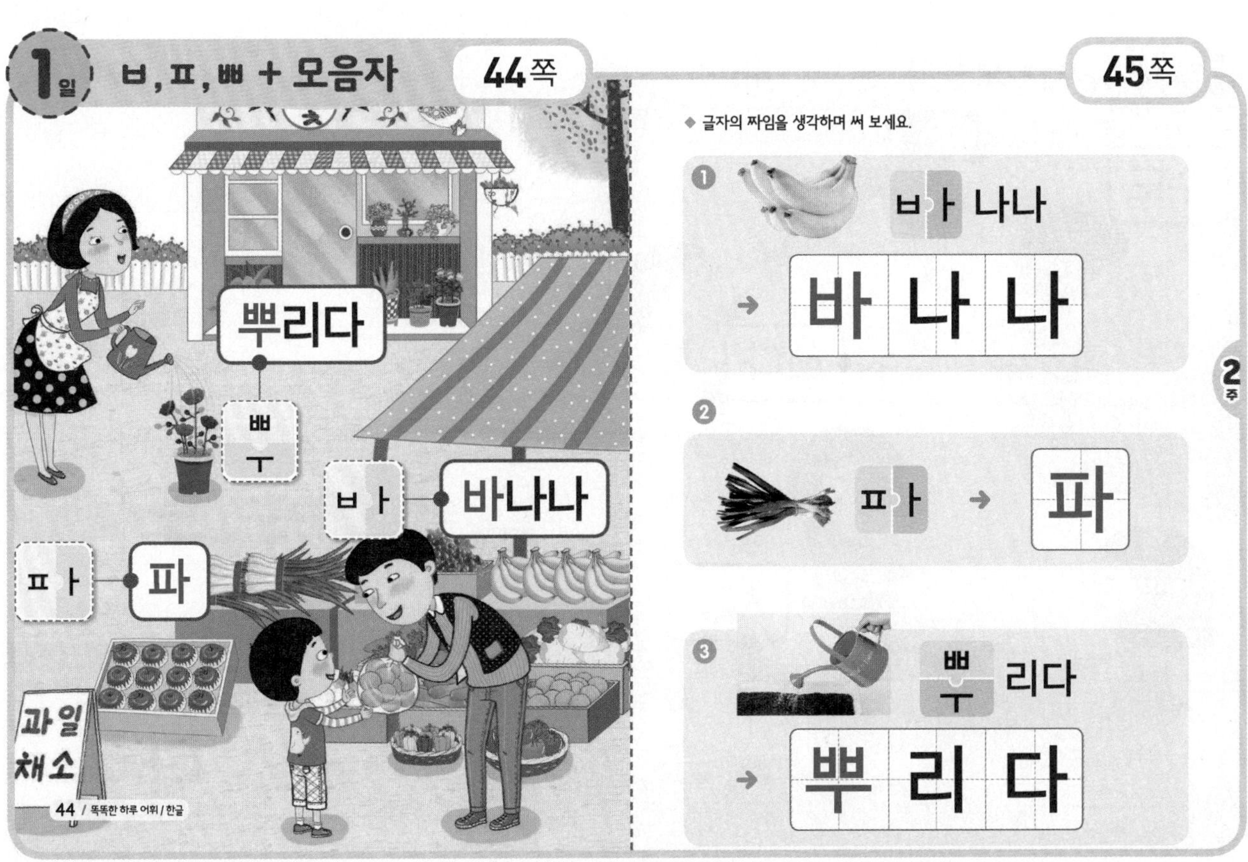

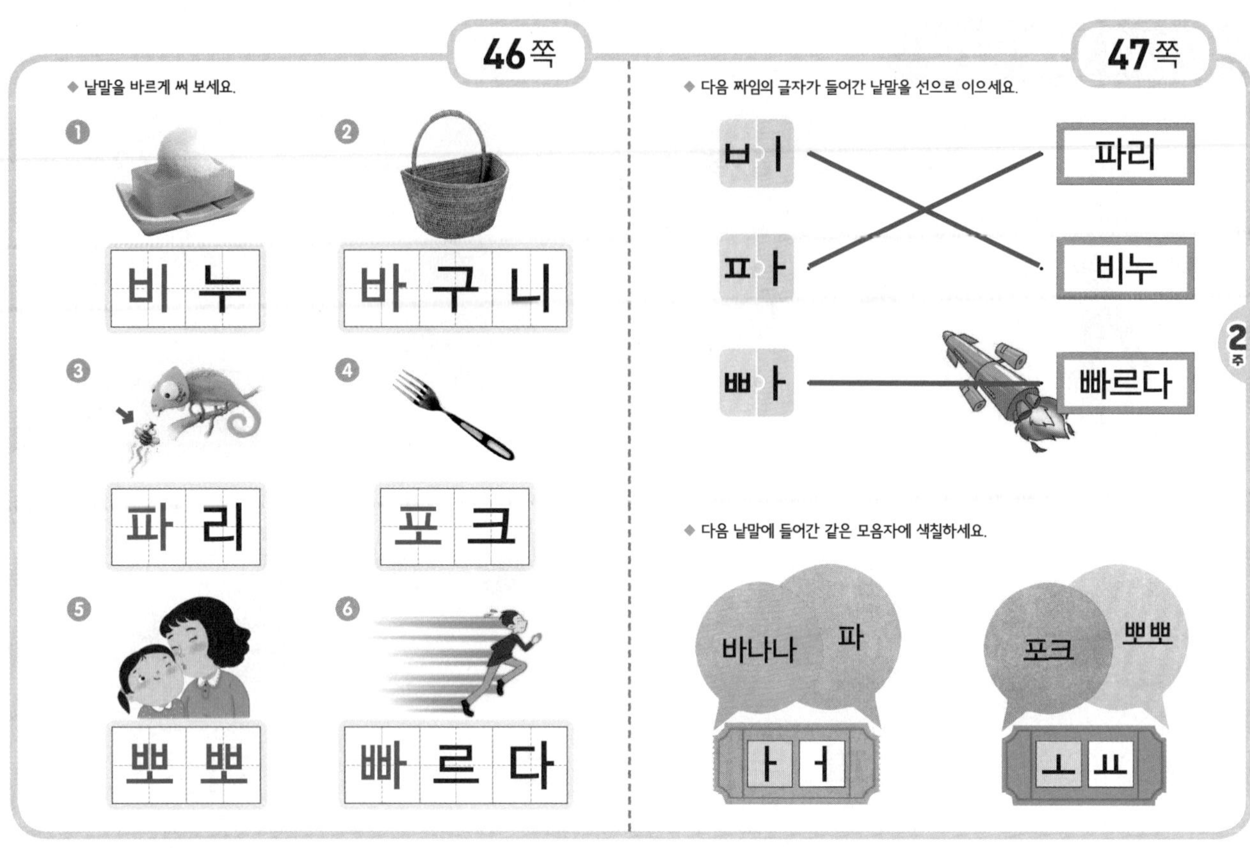
46쪽
◆ 낱말을 바르게 써 보세요.
❶ 비 누
❷ 바 구 니
❸ 파 리
❹ 포 크
❺ 뽀 뽀
❻ 빠 르 다
47쪽
◆ 다음 짜임의 글자가 들어간 낱말을 선으로 이으세요.
ㅂ ㅣ
ㅍ ㅏ
ㅃ ㅏ
파리
비누
빠르다
◆ 다음 낱말에 들어간 같은 모음자에 색칠하세요.
바나나
파
ㅏ ㅓ
포크
뽀뽀
ㅗ ㅛ

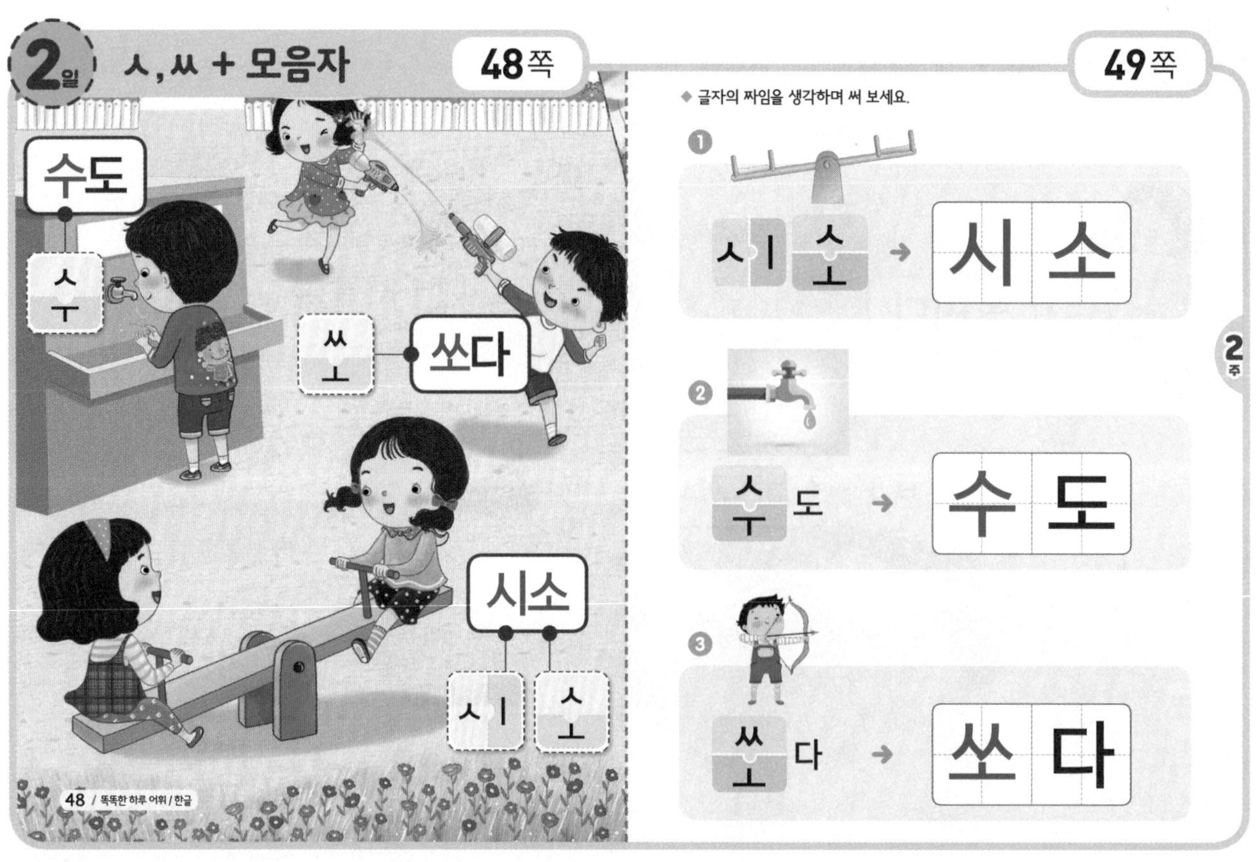
2일 ㅅ, ㅆ + 모음자
48쪽
수도
수
쏘
쏘다
시소
시
소
48 / 똑똑한 하루 어휘 / 한글
49쪽
◆ 글자의 짜임을 생각하며 써 보세요.
❶ ㅅ ㅣ 소 → 시 소
❷ 수 도 → 수 도
❸ 쏘 다 → 쏘 다

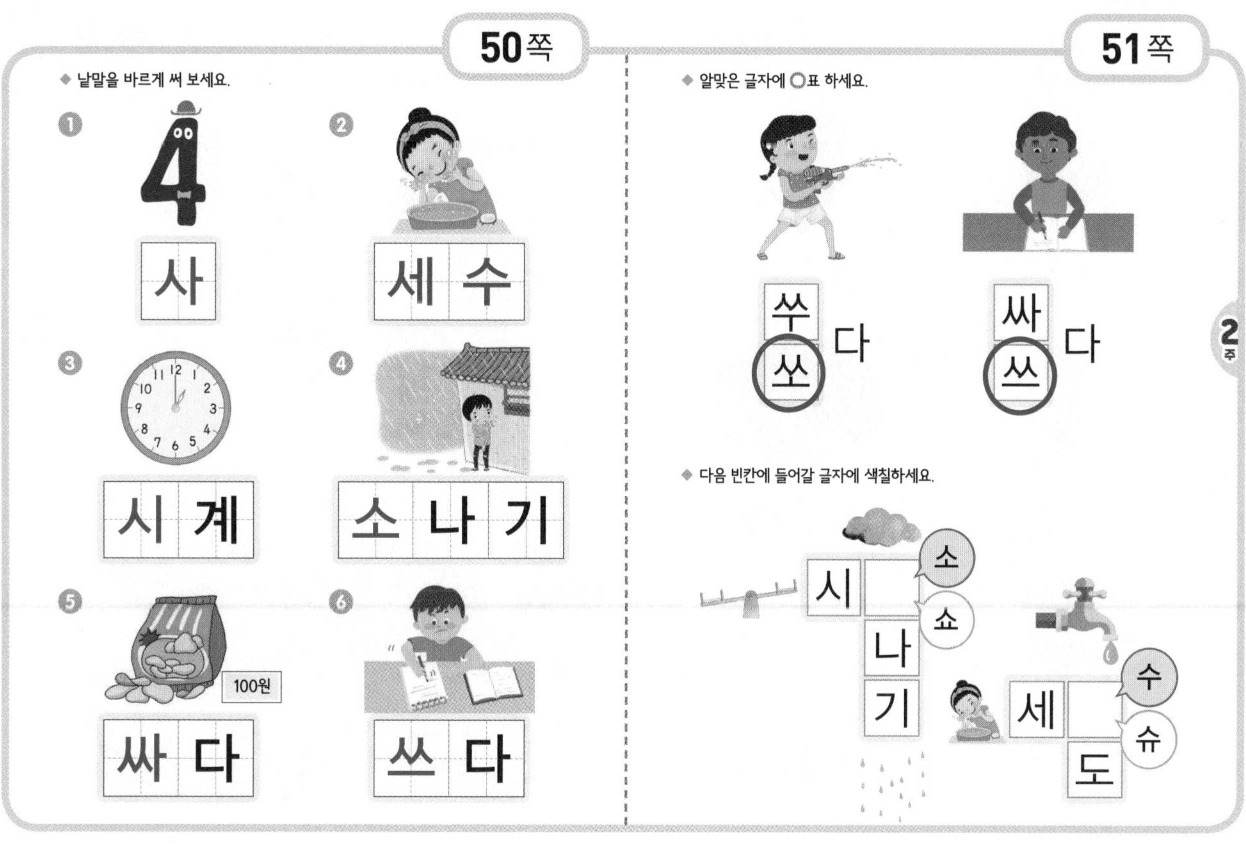
50쪽
낱말을 바르게 써 보세요.
1
사
2
세 수
3
시 계
4
소 나 기
5
100원
싸 다
6
쓰 다
51쪽
알맞은 글자에 ○표 하세요.
쑤
쓰
다
싸
쓰
다
다음 빈칸에 들어갈 글자에 색칠하세요.
시
소
쇼
나
기
세
수
슈
도

3일 ㅇ + 모음자
52쪽
아
아파트
오토바이
오
이
유아차
유
아
53쪽
글자의 짜임을 생각하며 써 보세요.
1
아 파트
아 파 트
2
유 아 차
유 아 차
3
오 토바 이
오 토 바 이

54쪽
◆ 낱말을 바르게 써 보세요.
❶ 이
❷ 어 깨
❸ 여 자
❹ 우 주
❺ 의 자
❻ 아 프 다
55쪽
◆ 'ㅇ+모음자'가 들어간 낱말을 말한 친구를 2명 찾아서 ○표 하세요.
비누
유아차
오토바이
소나기
◆ 보물 상자가 있는 곳까지 가야 해요. 바르게 쓴 낱말에 ○표 하며 길을 그려 보세요.
출발
여자
으자
어깨
우주
어파트
어프다

4일 ㅈ, ㅊ, ㅉ + 모음자
56쪽
제비
ㅈㅔ
ㅉㅏ
짜다
ㅊㅏ
차다
57쪽
◆ 글자의 짜임을 생각하며 써 보세요.
❶ ㅈㅔ비 → 제 비
❷ ㅊㅏ다 → 차 다
❸ ㅉㅏ다 → 짜 다

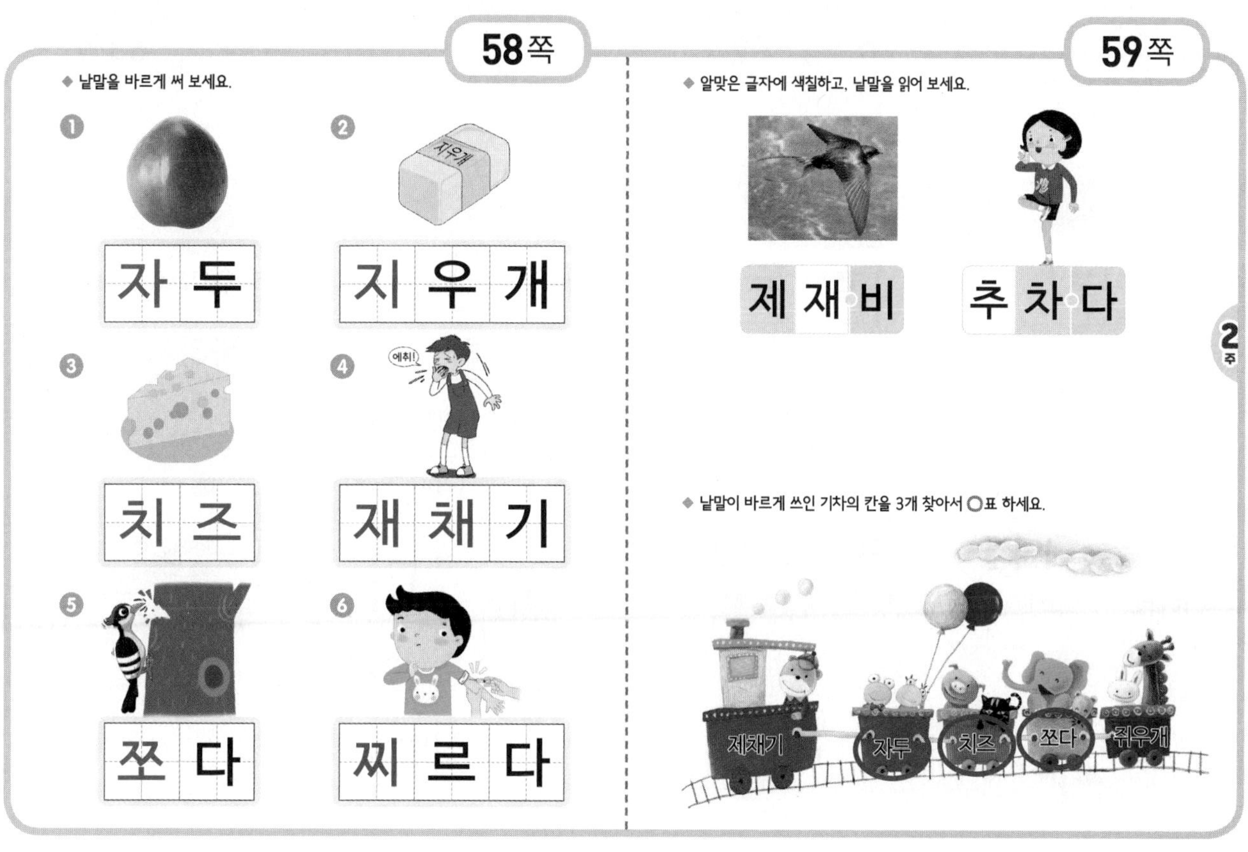
58쪽
◆ 낱말을 바르게 써 보세요.
❶ 자두
❷ 지우개
❸ 치즈
❹ 에취! 재채기
❺ 쪼다
❻ 찌르다
59쪽
◆ 알맞은 글자에 색칠하고, 낱말을 읽어 보세요.
제 재 비
추 차 다
◆ 낱말이 바르게 쓰인 기차의 칸을 3개 찾아서 ◯표 하세요.
제채기
자두
치즈
쪼다
쥐우개
2주

5일 ㅎ + 모음자
60쪽
해
ㅎ ㅐ
호수
ㅎ ㅗ
ㅎ ㅓ
허수아비
60 / 똑똑한 하루 어휘 / 한글
61쪽
◆ 글자의 짜임을 생각하며 써 보세요.
❶ ㅎ ㅐ → 해
❷ ㅎ ㅗ 수 → 호 수
❸ ㅎ ㅓ 수아비 → 허 수 아 비
2주

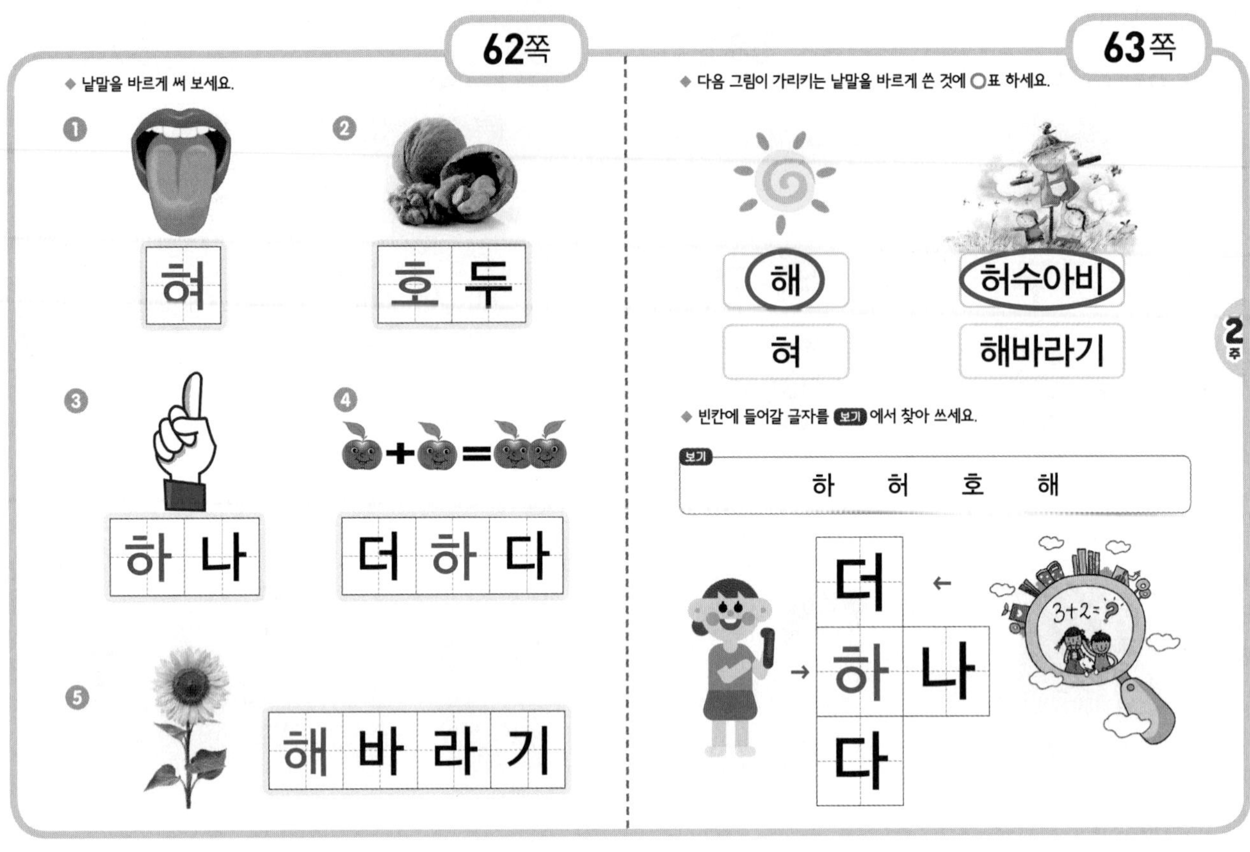
62쪽
◆ 낱말을 바르게 써 보세요.
① 혀
② 호두
③ 하나
④ 더하다
⑤ 해바라기
63쪽
◆ 다음 그림이 가리키는 낱말을 바르게 쓴 것에 ○표 하세요.
해
혀
허수아비
해바라기
◆ 빈칸에 들어갈 글자를 보기 에서 찾아 쓰세요.
보기
하 허 호 해
더
하 나
다
3+2=?

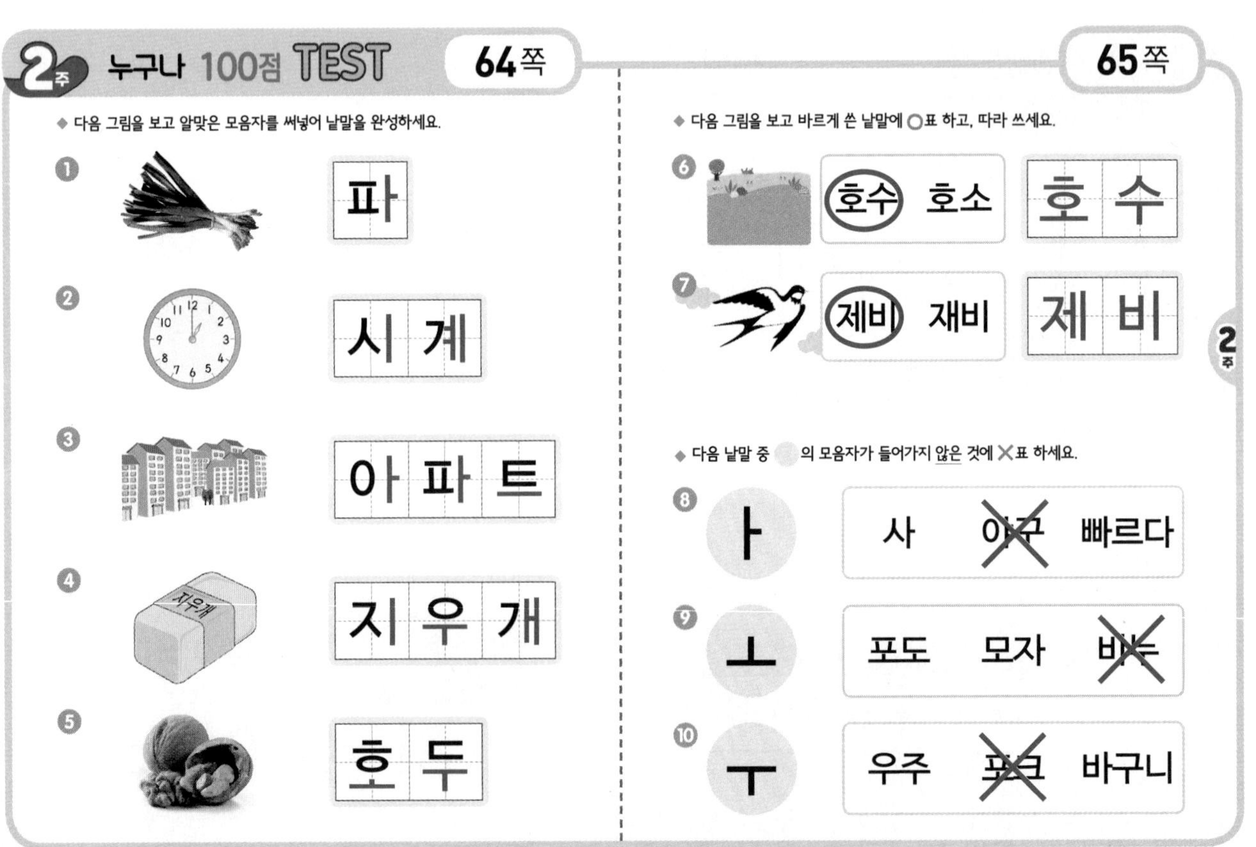
2주 누구나 100점 TEST
64쪽
◆ 다음 그림을 보고 알맞은 모음자를 써넣어 낱말을 완성하세요.
① 파
② 시계
③ 아파트
④ 지우개
⑤ 호두
65쪽
◆ 다음 그림을 보고 바르게 쓴 낱말에 ○표 하고, 따라 쓰세요.
⑥ 호수 호소 호수
⑦ 제비 재비 제비
◆ 다음 낱말 중 의 모음자가 들어가지 않은 것에 ✕표 하세요.
⑧ ㅏ 사 아구 빠르다
⑨ ㅗ 포도 모자 비누
⑩ ㅜ 우주 포크 바구니

66쪽

다음 표에서 파란색 모음자를 바르게 쓴 칸에 모두 색칠하고, 색칠된 칸은 어떤 모음자가 되는지 쓰세요.

67쪽

다음 그림을 보고 모음자를 알맞게 써넣어 낱말을 완성하세요.

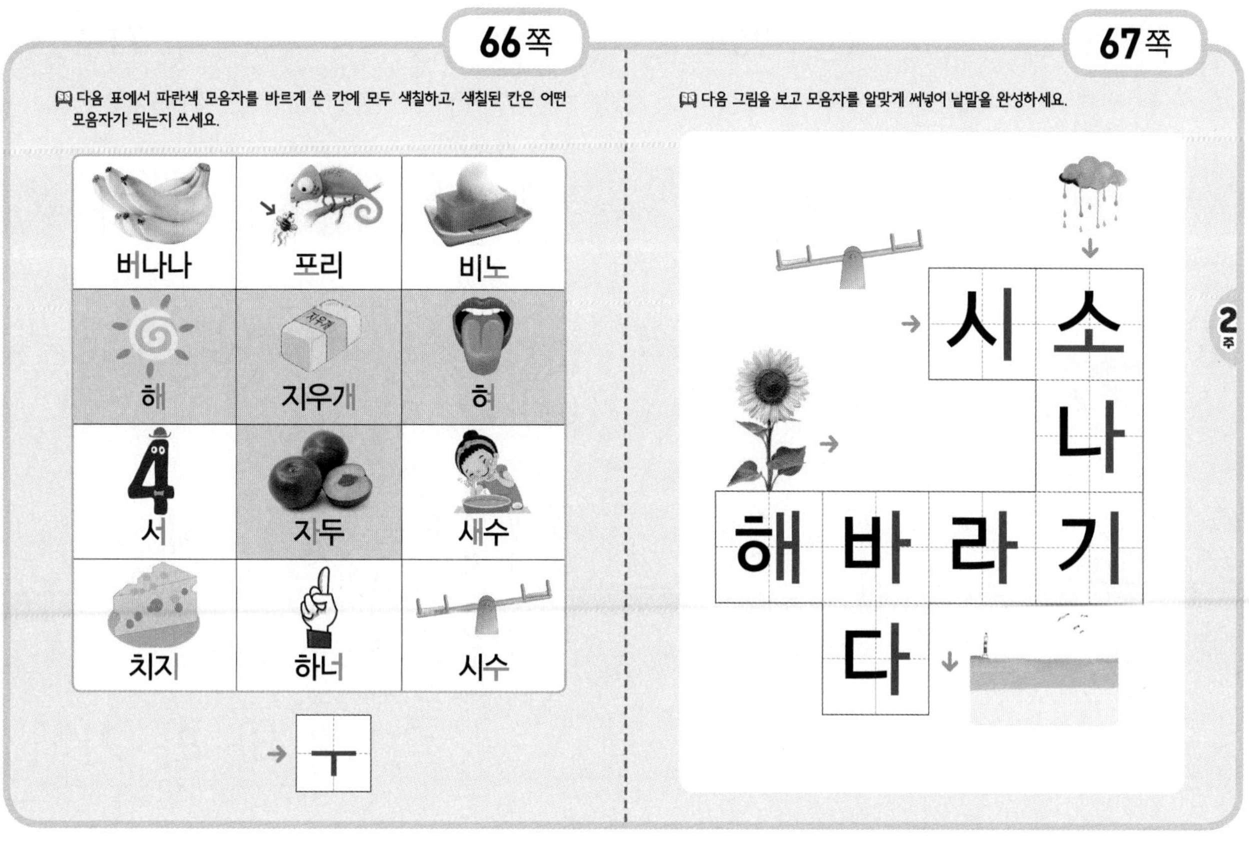


2주

68쪽

빈칸에 들어갈 글자를 보기 에서 찾아 쓰세요.

69쪽

사다리를 타고 내려가서 알맞은 낱말에 ○표 하세요.

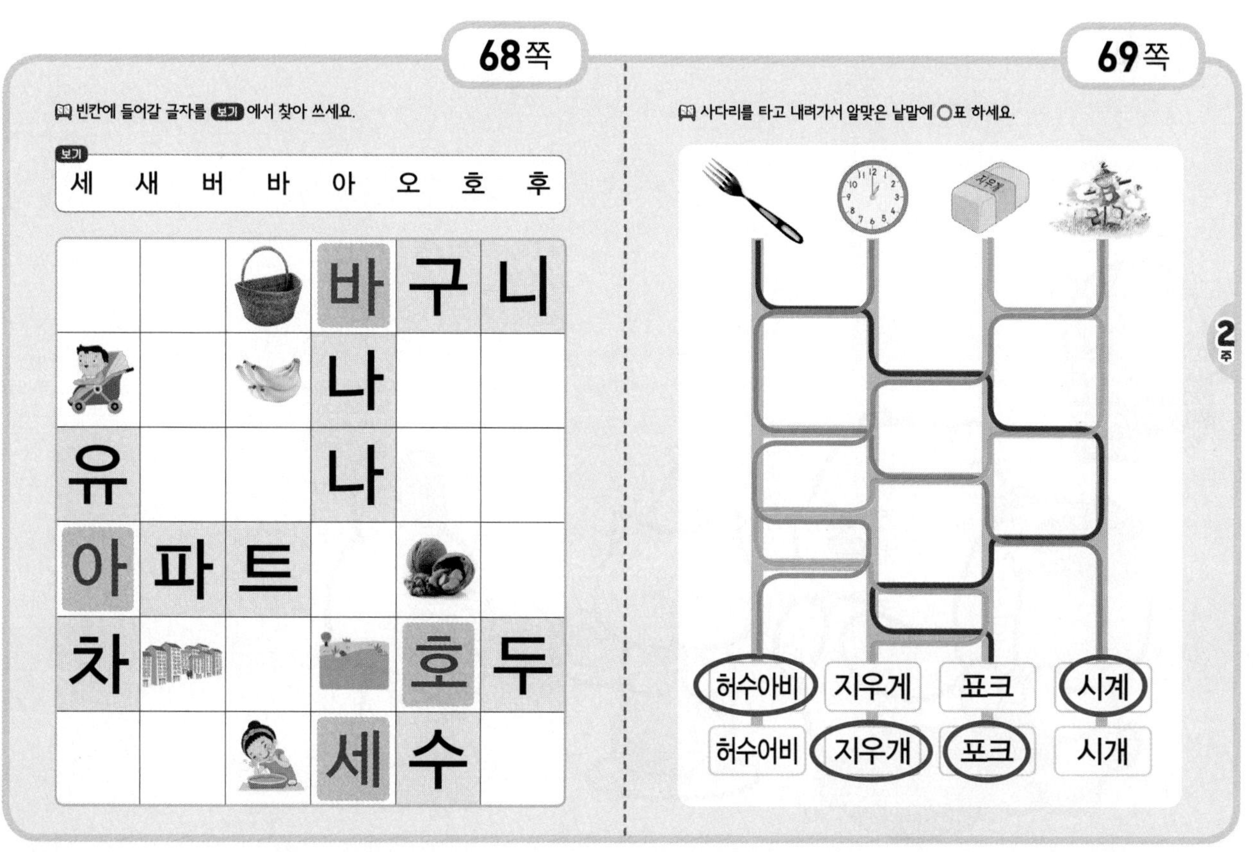


2주

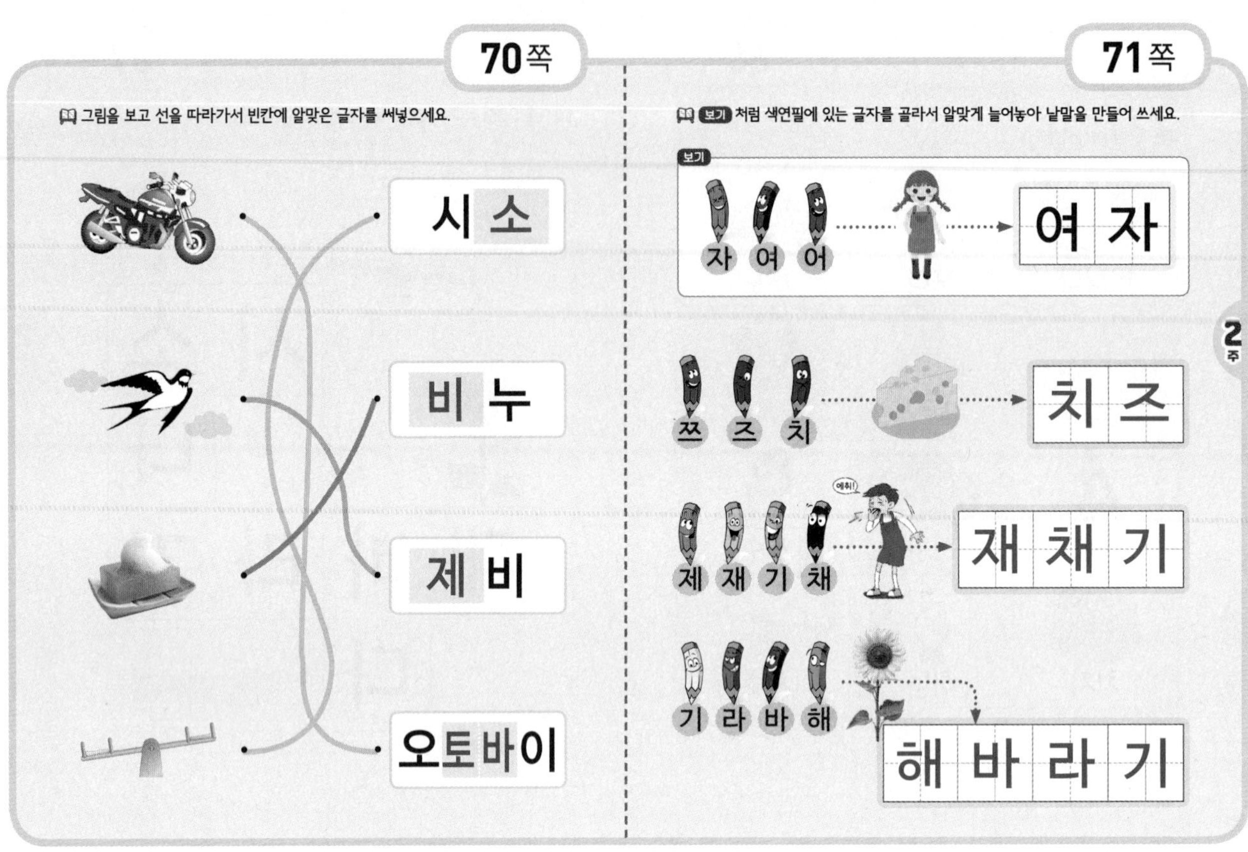
70쪽
그림을 보고 선을 따라가서 빈칸에 알맞은 글자를 써넣으세요.
시소
비누
제비
오토바이
71쪽
보기 처럼 색연필에 있는 글자를 골라서 알맞게 늘어놓아 낱말을 만들어 쓰세요.
보기
자 여 어
여자
쯔 즈 치
치즈
제 재 기 채
에취!
재채기
기 라 바 해
해바라기

# 3주 정답과 풀이

## 받침이 있는 낱말

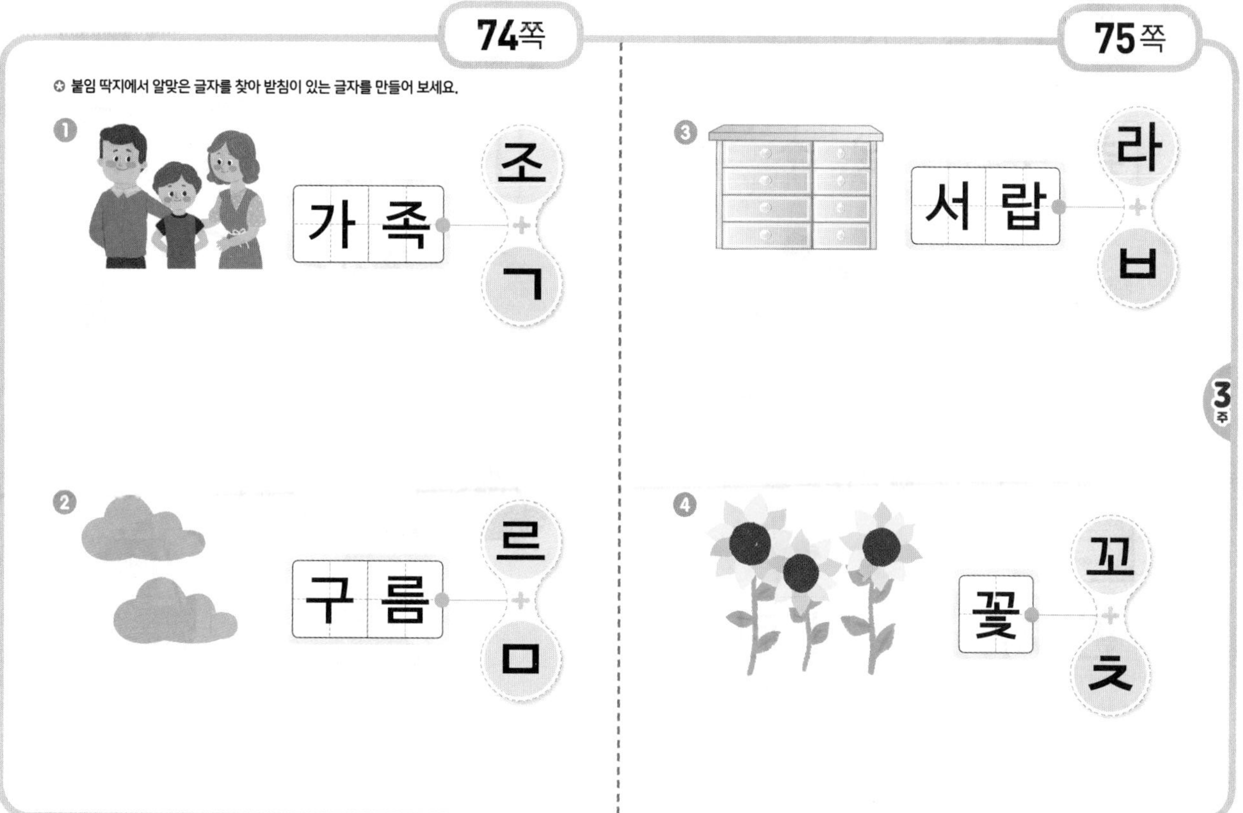

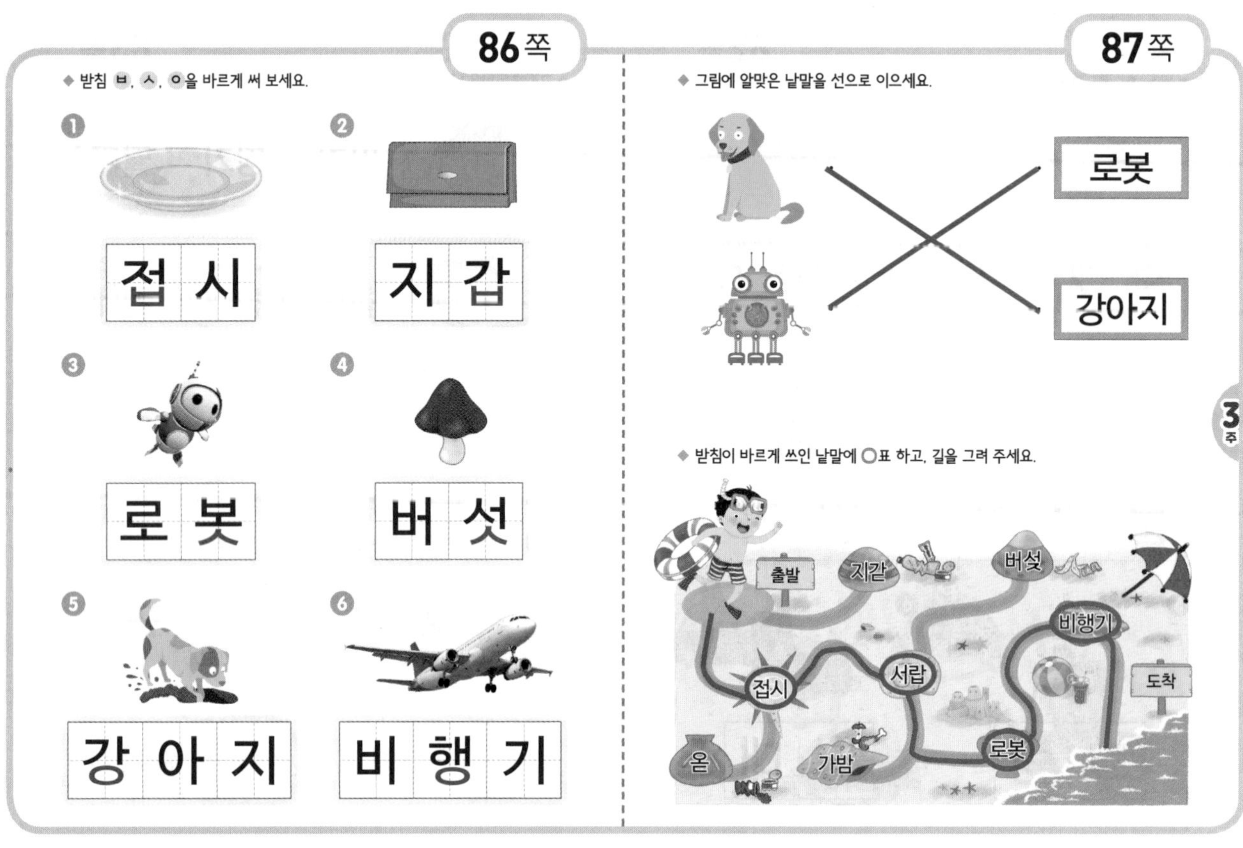
86쪽
◆ 받침 ㅂ, ㅅ, ㅇ을 바르게 써 보세요.
접 시
지 갑
로 봇
버 섯
강 아 지
비 행 기
87쪽
◆ 그림에 알맞은 낱말을 선으로 이으세요.
로봇
강아지
◆ 받침이 바르게 쓰인 낱말에 ○표 하고, 길을 그려 주세요.
출발
지갑
버섯
비행기
접시
서랍
도착
로봇
가방

4일 받침 ㅈ, ㅊ, ㅋ
88쪽
부엌
꽃
젖병
89쪽
◆ 글자의 짜임을 생각하며 받침 ㅈ, ㅊ, ㅋ을 써 보세요.
젖 병
꽃
부 엌

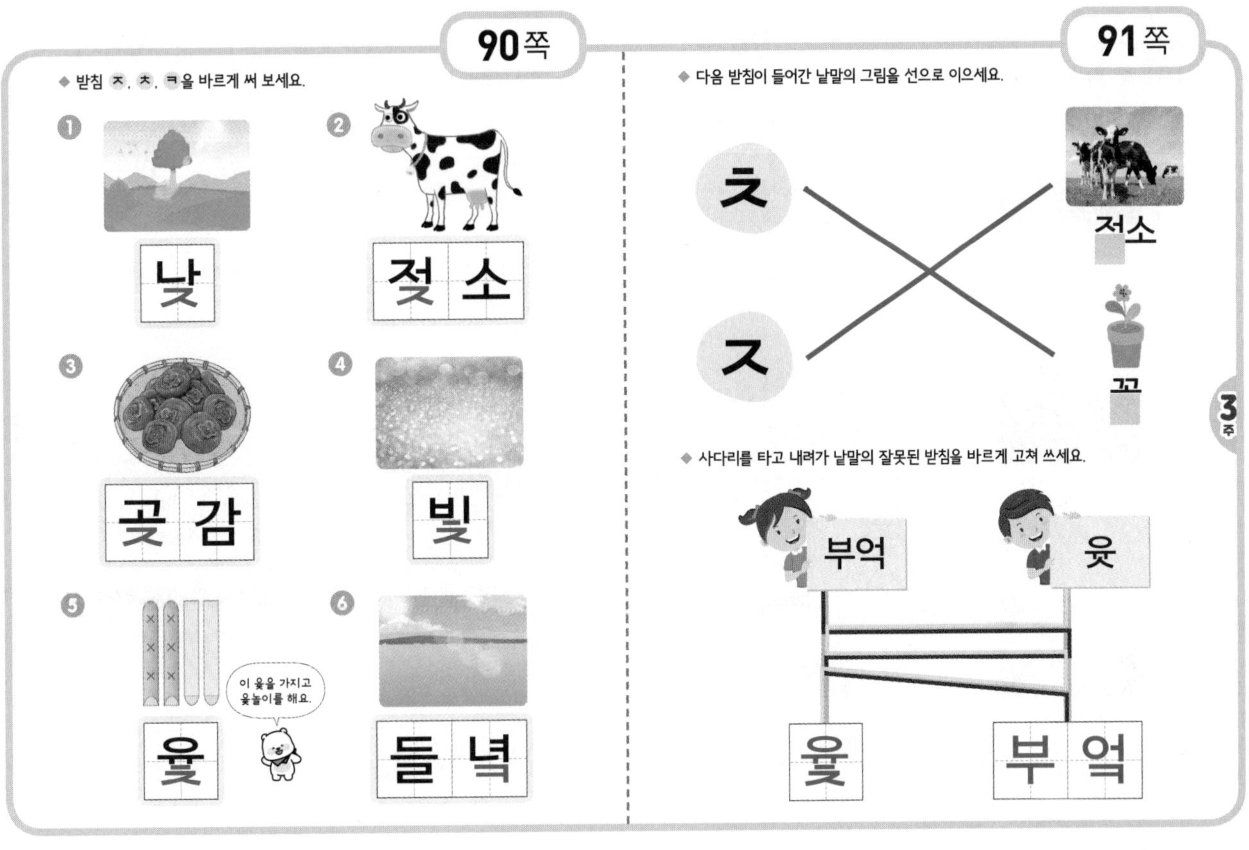
90쪽
◆ 받침 ㅈ, ㅊ, ㅋ을 바르게 써 보세요.
낯
젖소
곶감
빛
윷
이 윷을 가지고 윷놀이를 해요.
들녘
91쪽
◆ 다음 받침이 들어간 낱말의 그림을 선으로 이으세요.
ㅊ
ㅈ
젖소
꽃
◆ 사다리를 타고 내려가 낱말의 잘못된 받침을 바르게 고쳐 쓰세요.
부엌
윳
윷
부엌

5일 받침 ㅌ, ㅍ, ㅎ
92쪽
노랗다
팥빙수
무릎
93쪽
◆ 글자의 짜임을 생각하며 받침 ㅌ, ㅍ, ㅎ을 써 보세요.
빙수 →
팥빙수
무 →
무릎
노 다 →
노랗다

94쪽
◆ 받침 ㅌ, ㅍ, ㅎ을 바르게 써 보세요.
① 밭
② 밥솥
③ 숲
④ 앞치마
⑤ 하얗다
⑥ 쌓다
95쪽
◆ 그림에 알맞은 낱말을 찾아 ○표 하세요.
밭 무릎 밥솥
쌓다 하얗다 숲
◆ 식빵에 쓰인 글자를 알맞게 늘어놓아 낱말 2개를 만들어 쓰세요.
치 팥 빙 앞 마 수
① 앞치마
② 팥빙수

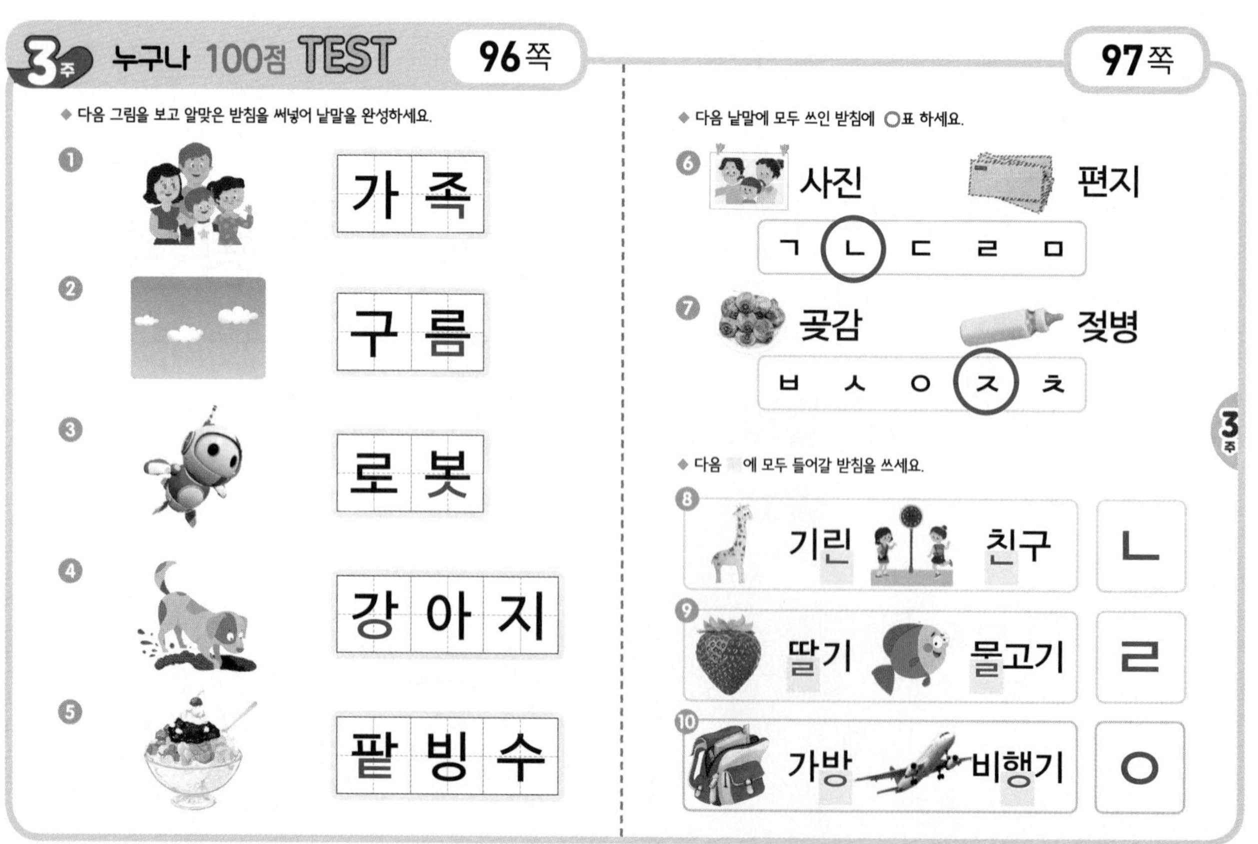
3주 누구나 100점 TEST
96쪽
◆ 다음 그림을 보고 알맞은 받침을 써넣어 낱말을 완성하세요.
① 가족
② 구름
③ 로봇
④ 강아지
⑤ 팥빙수
97쪽
◆ 다음 낱말에 모두 쓰인 받침에 ○표 하세요.
⑥ 사진 편지
ㄱ ㄴ ㄷ ㄹ ㅁ
⑦ 곶감 젖병
ㅂ ㅅ ㅇ ㅈ ㅊ
◆ 다음 에 모두 들어갈 받침을 쓰세요.
⑧ 기린 친구 ㄴ
⑨ 딸기 물고기 ㄹ
⑩ 가방 비행기 ㅇ

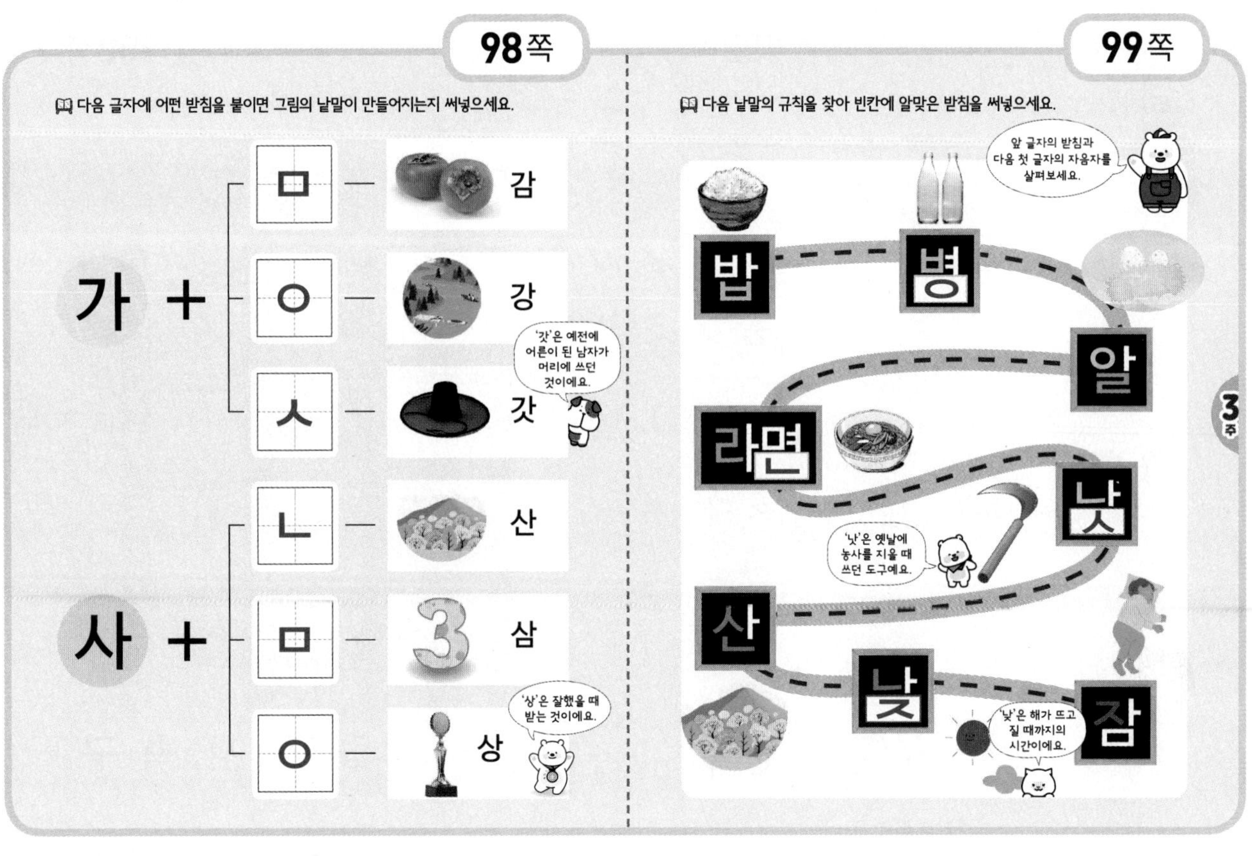
98쪽
다음 글자에 어떤 받침을 붙이면 그림의 낱말이 만들어지는지 써넣으세요.
가 +
ㅁ 감
ㅇ 강
ㅅ 갓
'갓'은 예전에 어른이 된 남자가 머리에 쓰던 것이에요.
사 +
ㄴ 산
ㅁ 삼
ㅇ 상
'상'은 잘했을 때 받는 것이에요.
99쪽
다음 낱말의 규칙을 찾아 빈칸에 알맞은 받침을 써넣으세요.
앞 글자의 받침과 다음 첫 글자의 자음자를 살펴보세요.
밥
병
알
라면
낫
'낫'은 옛날에 농사를 지을 때 쓰던 도구예요.
산
낮
'낮'은 해가 뜨고 질 때까지의 시간이에요.
잠

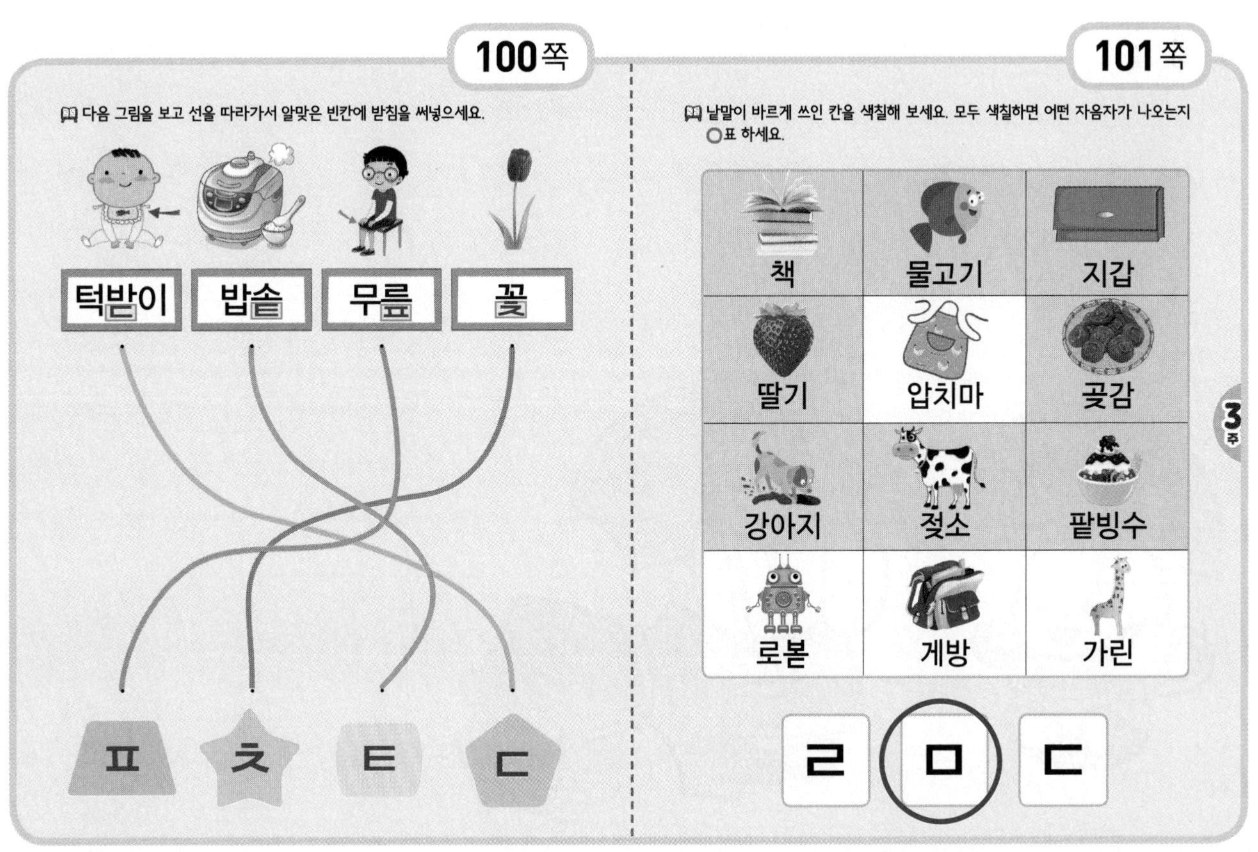
100쪽
다음 그림을 보고 선을 따라가서 알맞은 빈칸에 받침을 써넣으세요.
턱받이
밥솥
무릎
꽃
ㅍ
ㅊ
ㅌ
ㄷ
101쪽
낱말이 바르게 쓰인 칸을 색칠해 보세요. 모두 색칠하면 어떤 자음자가 나오는지 ○표 하세요.
책
물고기
지갑
딸기
앞치마
곶감
강아지
젖소
팥빙수
로봇
게방
가린
ㄹ
ㅁ
ㄷ

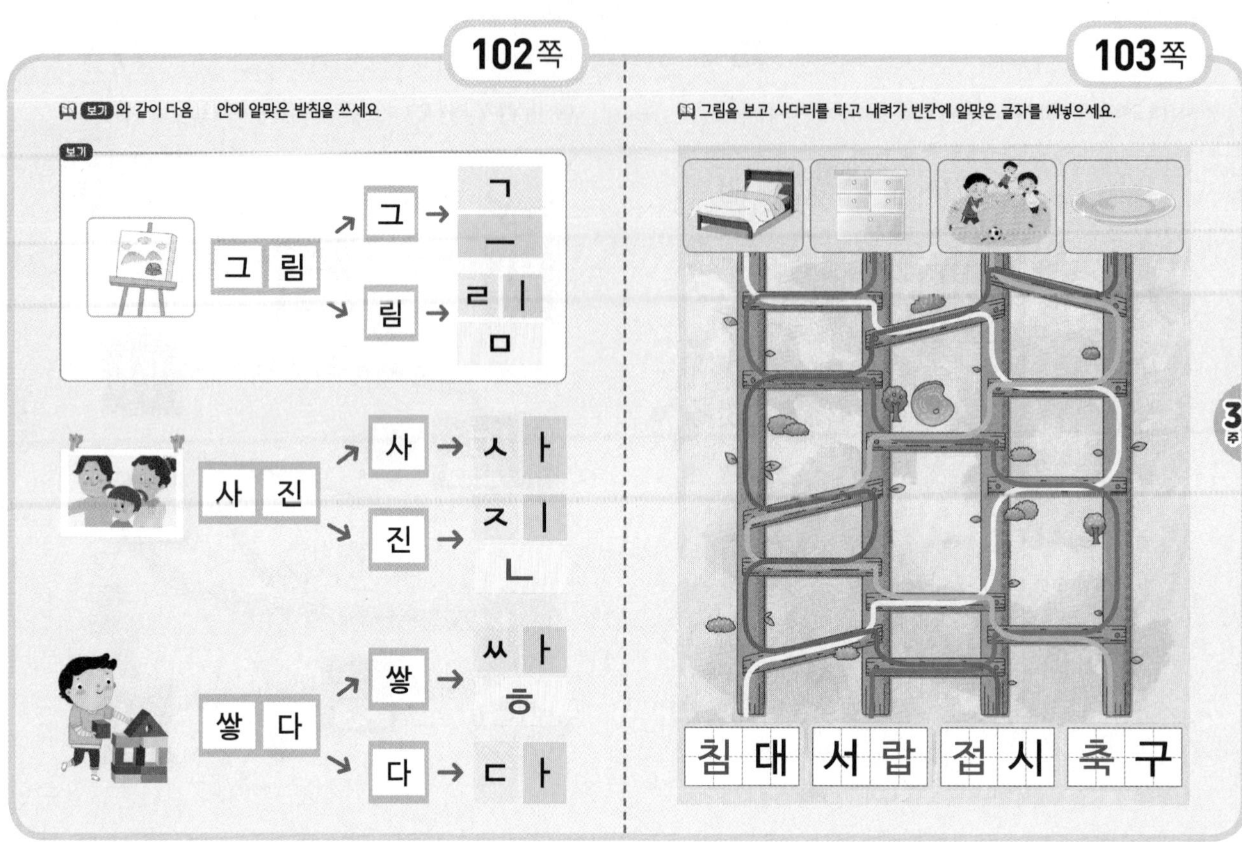
102쪽
보기 와 같이 다음 안에 알맞은 받침을 쓰세요.
보기
그 림
그 → ㄱ ㅡ
림 → ㄹ ㅣ ㅁ
사 진
사 → ㅅ ㅏ
진 → ㅈ ㅣ ㄴ
쌓 다
쌓 → ㅆ ㅏ ㅎ
다 → ㄷ ㅏ
103쪽
그림을 보고 사다리를 타고 내려가 빈칸에 알맞은 글자를 써넣으세요.
침대
서랍
접시
축구

## 권 마무리

104쪽 105쪽

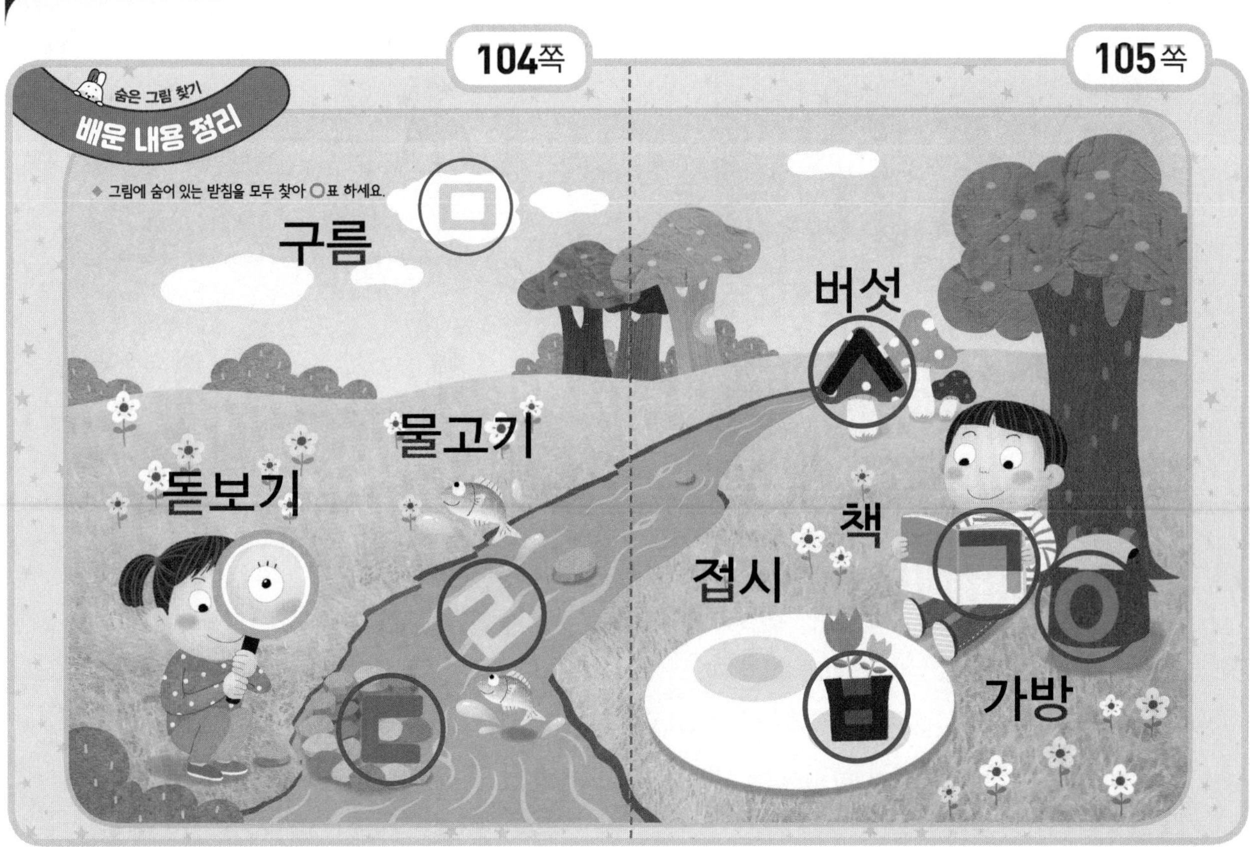


106쪽 107쪽

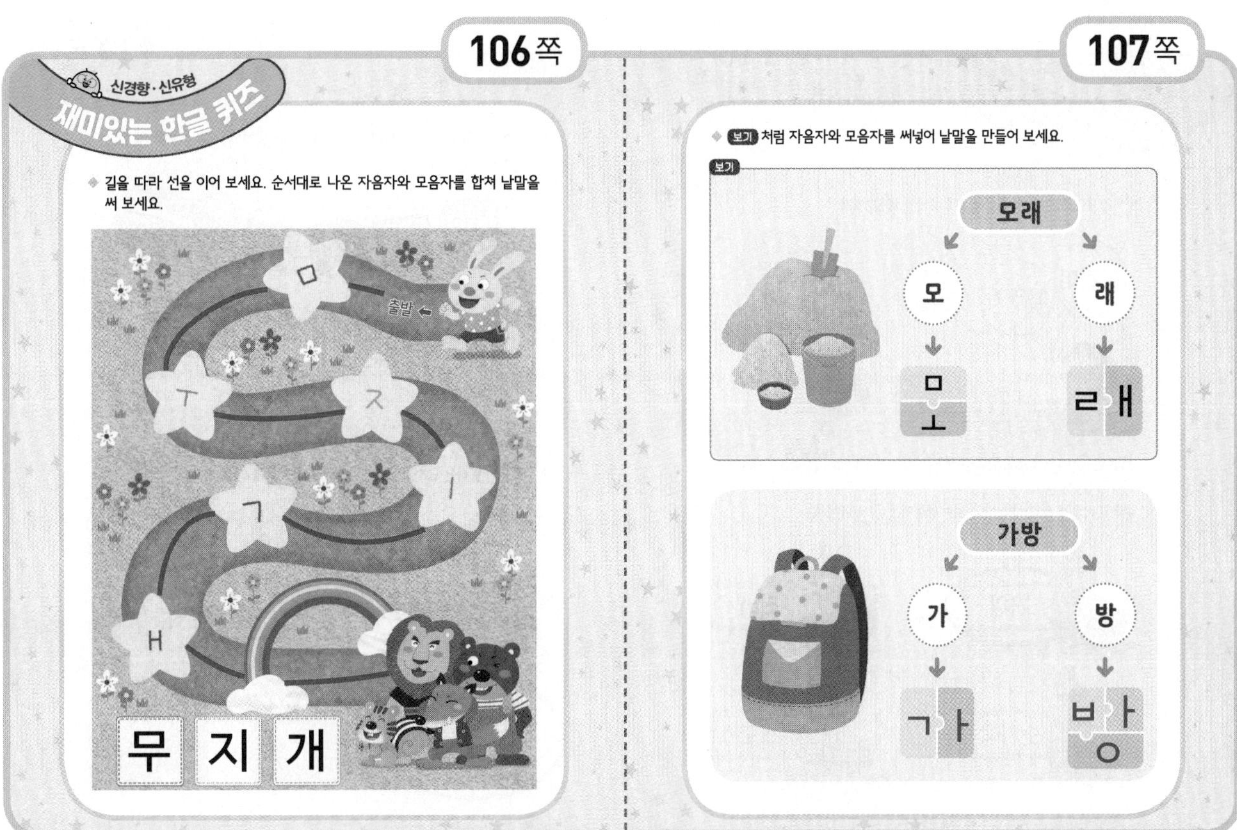

신경향·신유형
재미있는 한글 퀴즈
길을 따라 선을 이어 보세요. 순서대로 나온 자음자와 모음자를 합쳐 낱말을 써 보세요.
출발
무 지 개
보기 처럼 자음자와 모음자를 써넣어 낱말을 만들어 보세요.
보기
모래
모
래
가방
가
방

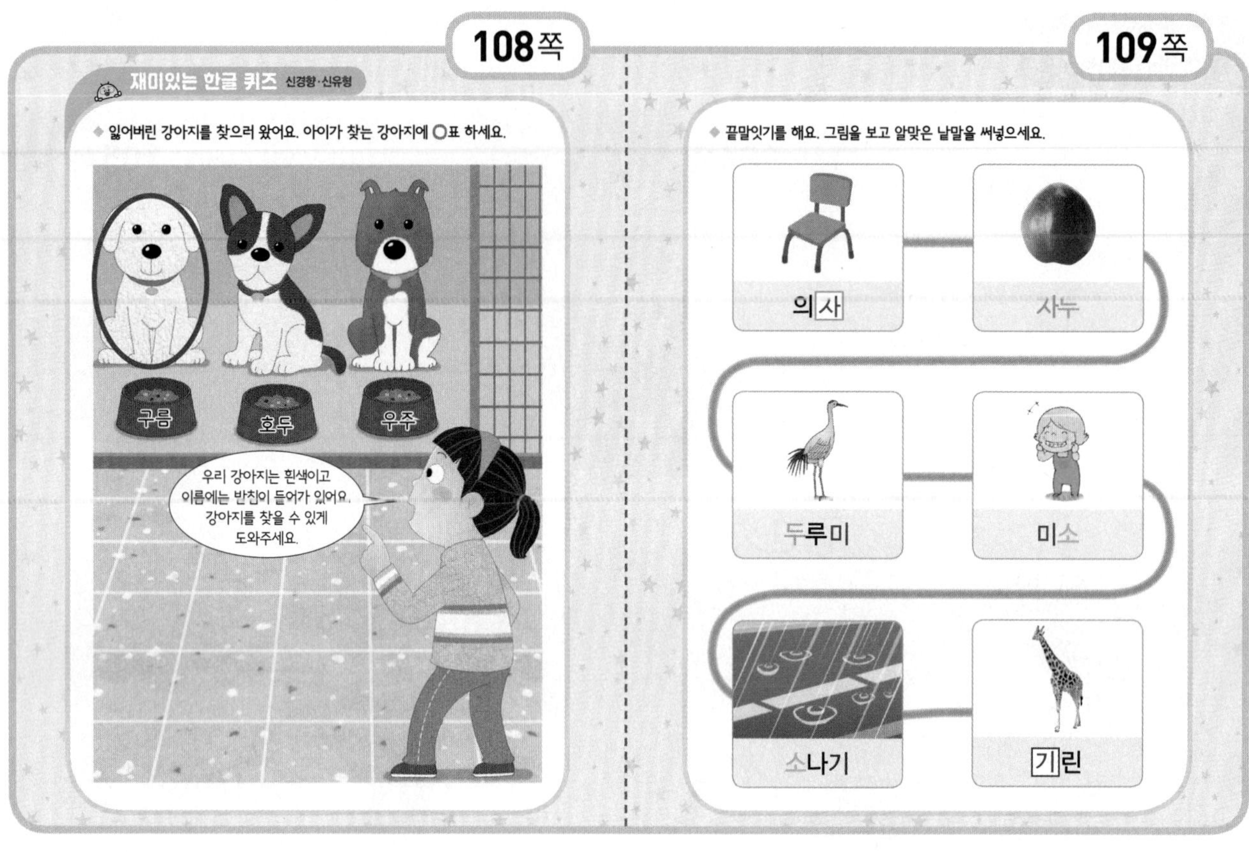
108쪽
재미있는 한글 퀴즈 신경향·신유형
◆ 잃어버린 강아지를 찾으러 왔어요. 아이가 찾는 강아지에 ○표 하세요.
구름
호두
우주
우리 강아지는 흰색이고
이름에는 받침이 들어가 있어요.
강아지를 찾을 수 있게
도와주세요.
109쪽
◆ 끝말잇기를 해요. 그림을 보고 알맞은 낱말을 써넣으세요.
의사
사누
두루미
미소
소나기
기린

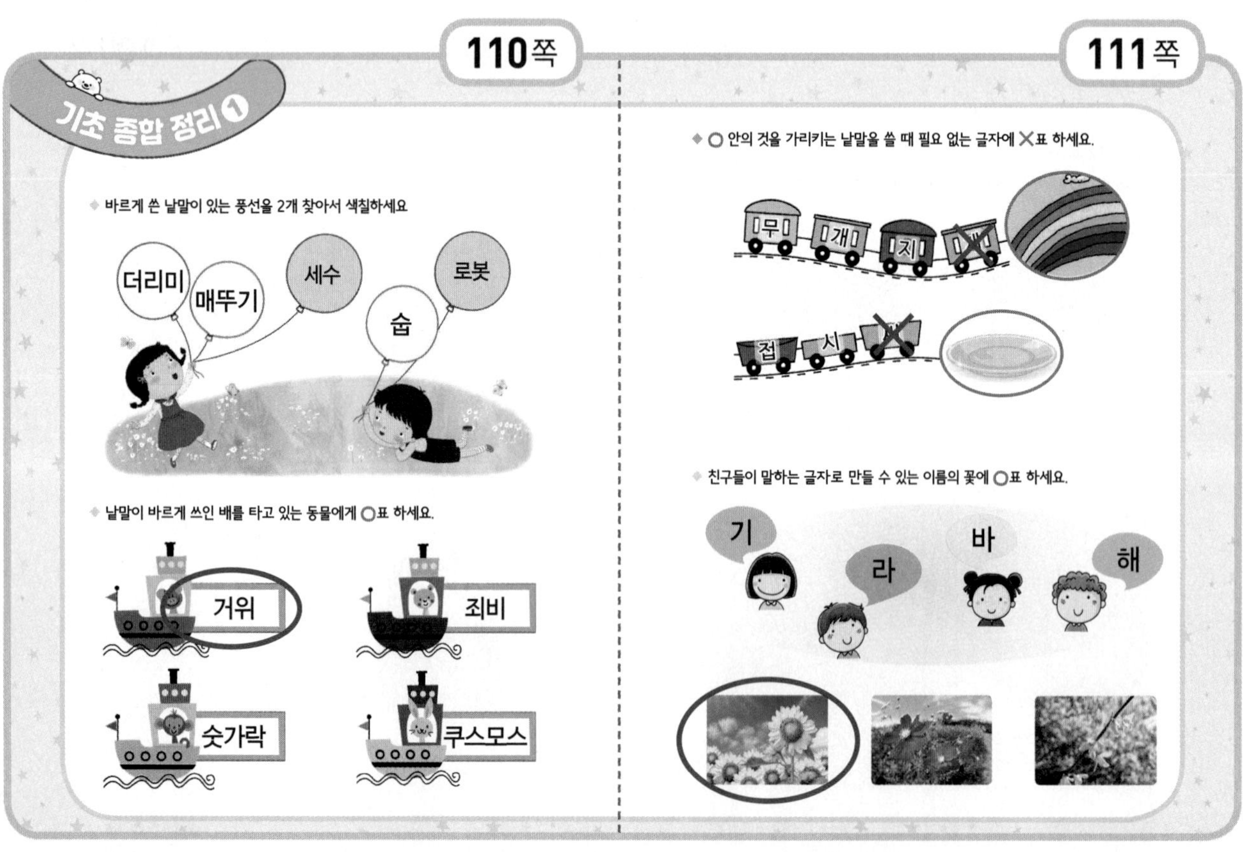
110쪽
기초 종합 정리 1
◆ 바르게 쓴 낱말이 있는 풍선을 2개 찾아서 색칠하세요
더리미
매뚜기
세수
숩
로봇
◆ 낱말이 바르게 쓰인 배를 타고 있는 동물에게 ○표 하세요.
거위
죄비
숫가락
쿠스모스
111쪽
◆ ○ 안의 것을 가리키는 낱말을 쓸 때 필요 없는 글자에 ×표 하세요.
무
개
지
접
시
◆ 친구들이 말하는 글자로 만들 수 있는 이름의 꽃에 ○표 하세요.
기
라
바
해

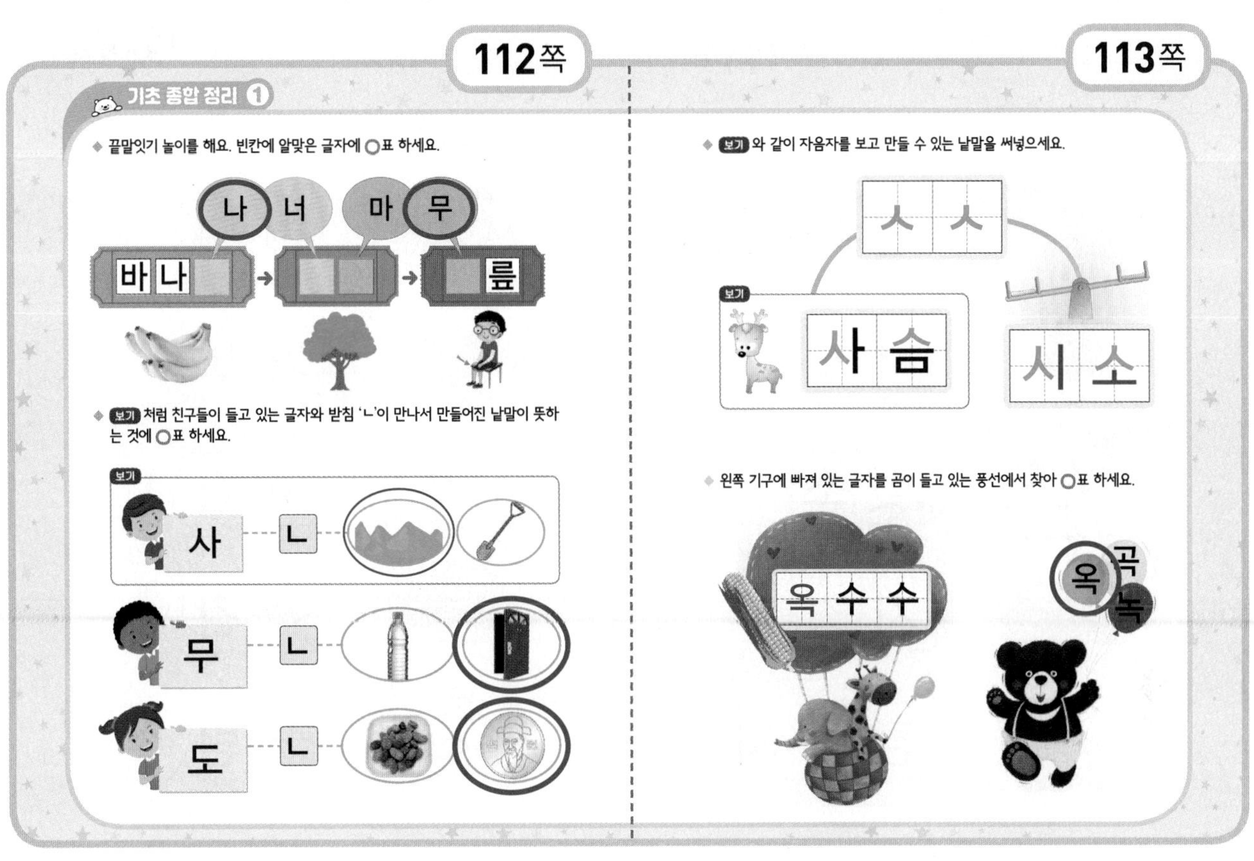
112쪽
기초 종합 정리 1
끝말잇기 놀이를 해요. 빈칸에 알맞은 글자에 ○표 하세요.
나
너
마
무
바 나
→
→
륭
보기 처럼 친구들이 들고 있는 글자와 받침 'ㄴ'이 만나서 만들어진 낱말이 뜻하는 것에 ○표 하세요.
보기
사
ㄴ
무
ㄴ
도
ㄴ
113쪽
보기 와 같이 자음자를 보고 만들 수 있는 낱말을 써넣으세요.
ㅅ ㅅ
보기
사 슴
시 소
왼쪽 기구에 빠져 있는 글자를 곰이 들고 있는 풍선에서 찾아 ○표 하세요.
옥 수 수
곡
옥
녹

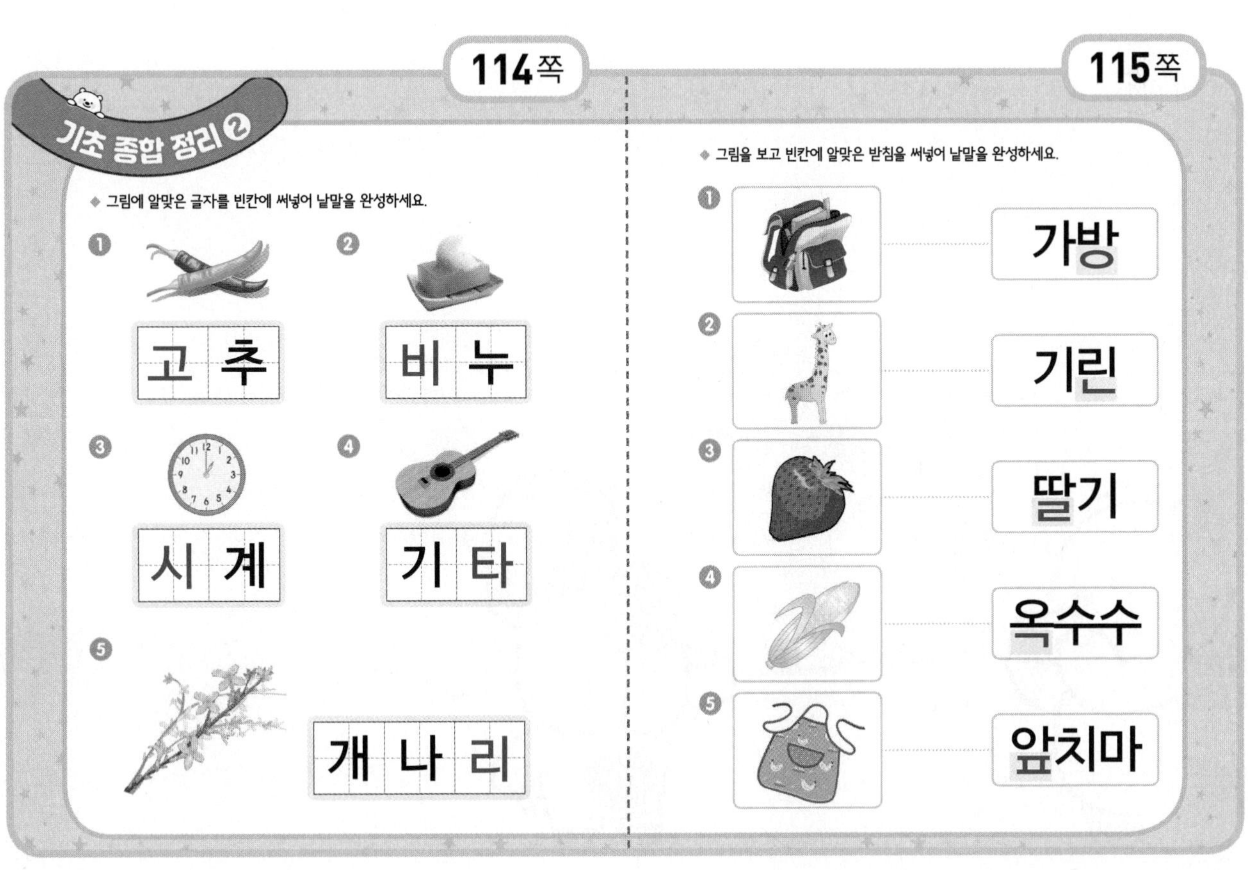
114쪽
기초 종합 정리 2
그림에 알맞은 글자를 빈칸에 써넣어 낱말을 완성하세요.
1
고 추
2
비 누
3
시 계
4
기 타
5
개 나 리
115쪽
그림을 보고 빈칸에 알맞은 받침을 써넣어 낱말을 완성하세요.
1
가방
2
기린
3
딸기
4
옥수수
5
앞치마

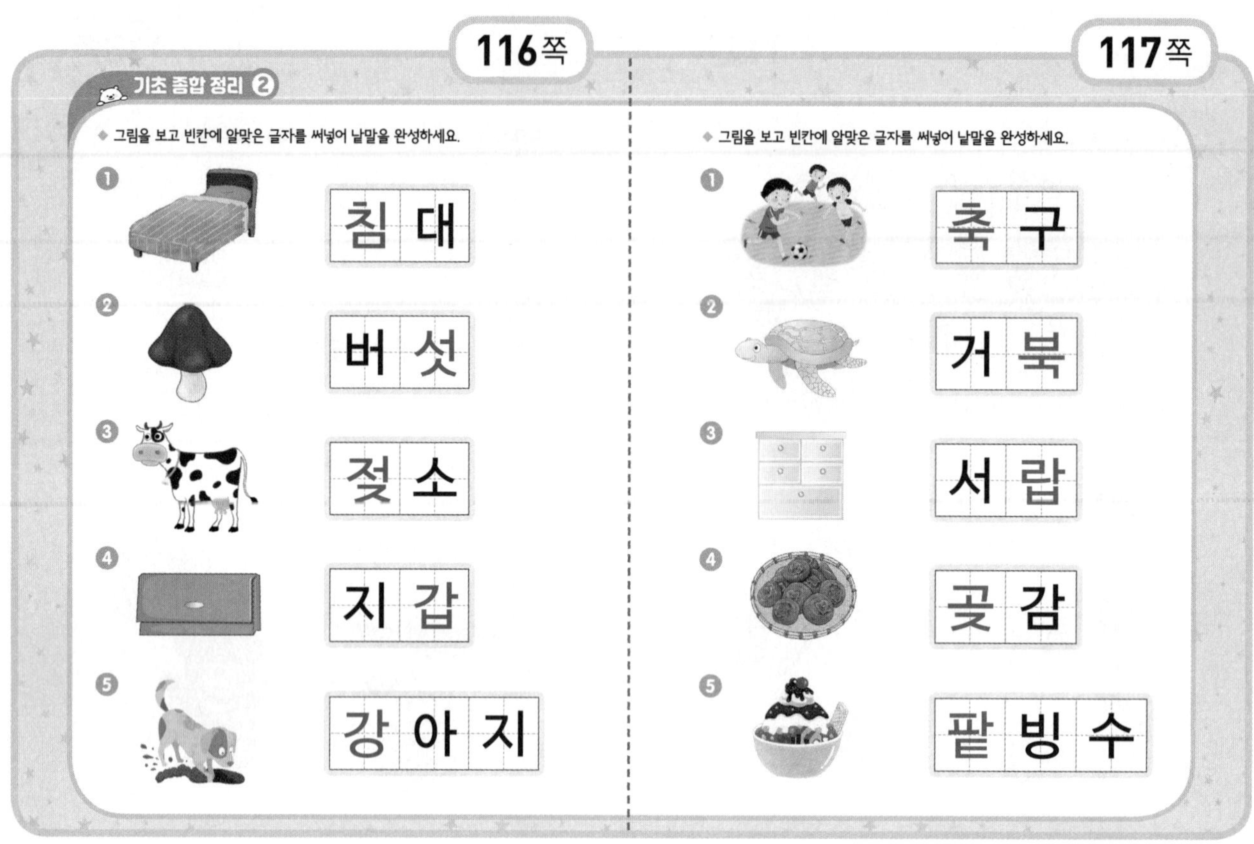

116쪽

기초 종합 정리 ❷

◆ 그림을 보고 빈칸에 알맞은 글자를 써넣어 낱말을 완성하세요.

❶ 침대

❷ 버섯

❸ 젖소

❹ 지갑

❺ 강아지

117쪽

◆ 그림을 보고 빈칸에 알맞은 글자를 써넣어 낱말을 완성하세요.

❶ 축구

❷ 거북

❸ 서랍

❹ 곶감

❺ 팥빙수

기초 학습능력 강화 프로그램

매일 조금씩 공부력 UP!

# 똑똑한 하루 시리즈

### 쉽다!

하루 10분, 주 5일 완성의
커리큘럼으로 쉽고 재미있게
초등 기초 학습능력 향상!

### 재미있다!

교과서는 물론, 생활 속에서 쉽게
접할 수 있는 다양한 소재를 활용해
아이 스스로도 재미있는 학습!

### 똑똑하다!

초등학생에게 꼭 필요한 상식과 함께
학습 만화, 게임, 퍼즐 등을 통한
'비주얼 학습'으로 스마트한 공부 시작!

## 더 새롭게! 더 다양하게! 전과목 시리즈로 돌아온 **'똑똑한 하루'**

*순차 출시 예정

**국어 (예비초~초6)**

예비초~초6 각 A·B
교재별 14권

예비초: 예비초 A·B
초1~초6: 1A~4C
14권

**영어 (예비초~초6)**

초3~초6 Level 1A~4B
8권

Starter A·B
1A~3B
8권

**수학 (예비초~초6)**

초1~초6 1·2학기
12권

예비초~초6 각 A·B
14권

초1~초6 각 A·B
12권

**봄·여름 가을·겨울 (초1~초2)**

봄·여름·가을·겨울
2권 / 8권

**안전 (초1~초2)**

초1~초2
2권

**사회·과학 (초3~초6)**

학기별 구성
사회·과학 각 8권

정답은
이안에
있어!

똑 똑 한

# 하루 어휘

한글 익히기

배움으로 행복한 내일을 꿈꾸는

# 천재교육 커뮤니티 안내

교재 안내부터 구매까지 한 번에!

## 천재교육 홈페이지

천재교육 홈페이지에서는 자사가 발행하는 참고서,
교과서에 대한 소개는 물론 도서 구매도 할 수 있습니다.
회원에게 지급되는 별을 모아 다양한 상품 응모에도
도전해 보세요.

구독, 좋아요는 필수! 핵유용 정보 가득한

## 천재교육 유튜브 <천재TV>

신간에 대한 자세한 정보가 궁금하세요?
참고서를 어떻게 활용해야 할지 고민인가요?
공부 외 다양한 고민을 해결해 줄 채널이 필요한가요?
학생들에게 꼭 필요한 콘텐츠로 가득한 천재TV로 놀러 오세요!

다양한 교육 꿀팁에 깜짝 이벤트는 덤!

## 천재교육 인스타그램

천재교육의 새롭고 중요한 소식을 가장 먼저 접하고 싶다면?
천재교육 인스타그램 팔로우가 필수!
누구보다 빠르고 재미있게 천재교육의 소식을 전달합니다.
깜짝 이벤트도 수시로 진행되니 놓치지 마세요!